Il Museo di San Martino di Napoli

Soprintendenza per i Beni Artistici
e Storici di Napoli

a cura di Teodoro Fittipaldi

con la collaborazione di
Renato Casolaro, Marina Causa Picone,
Gemma Cautela, Silvia Cocurullo,
Ileana Creazzo, Luisa Martorelli,
Roberto Middione, Rita Pastorelli

fotografie di
Giuseppe Gaeta

Il Museo
di San Martino
di Napoli

Electa Napoli

Electa Napoli
hanno collaborato a questo volume

Redazione
Daniela Campanelli

Grafica
Nadia Bronzuto
Ivana Gaeta

I testi da p. 7 a p. 68, da p. 116 a p. 118,
da p. 144 a p. 169, a p. 172, da p. 175 a
p. 184 e a p. 208 sono di Teodoro
Fittipaldi; da p. 69 a p. 115 di Rita
Pastorelli; da p. 121 a p. 131 di Ileana
Creazzo; da p. 132 a p. 143, da p. 173 a
p. 174 e a p. 185 di Roberto Middione;
da p. 170 a p. 171 di Luisa Martorelli;
da p. 186 a p. 200 di Marina Causa
Picone; da p. 201 a p. 208 di Renato
Casolaro e Silvia Cocurullo; a p. 209
di Gemma Cautela.

La campagna fotografica è stata eseguita
con la collaborazione di Laura Valentini.

Avvertenza
Salvo diversa indicazione, le misure si
intendono espresse in centimetri.

Sommario

7   La Certosa e il Museo di San Martino

60   Il "Quarto del Priore"

69   La sezione storica

116   La sezione presepiale

    La sezione delle arti medievali e moderne

121   I dipinti

132   Le sculture

144   Le "arti minori"

170   La sezione dell'"Ottocento napoletano"

186   La sezione grafica

201   La sezione teatrale

209   La sezione epigrafica e araldica

210   Bibliografia essenziale

La Certosa e il Museo di San Martino

Nel 1325 Carlo l'"Illustre", duca di Calabria, primogenito del re Roberto d'Angiò, fonda la Certosa di San Martino di Napoli; testimonianza da un canto del favore della Casa reale verso l'ordine Certosino e della devozione per il Santo cavaliere vescovo di Tours, dalle comuni origini francesi; dall'altro del mecenatismo dei Sovrani angioini e della espansione, comunque, dello stesso ordine monastico e in Europa e in Italia. Il complesso napoletano è preceduto, infatti, dalla Certosa di Padula (1306), nel Salernitano, ed è seguito da quelle di Chiaromonte (1334), in Basilicata, di Guglionesi (1338), nel Molise, di Capri (1356), ancora in ambito napoletano; per citare alcuni centri monastici del Meridione legati alla Storia angioina.

Il Duca affidò l'incarico di sorvegliare i lavori di costruzione sul colle di Sant'Erasmo (Sant'Elmo) a Riccardo, abate del monastero dei Santi Severino e Sosso di Napoli, regio consigliere, ed a Giovanni de Haya, reggente della Vicaria, in qualità di soprintendenti suoi delegati.

Architetti designati furono il napoletano Francesco De Vito e lo scultore senese Tino di Camaino, affiancati da Mazzeo di Malotto capocantiere, incaricato del registro di introito e di esito. Martuccio Sirico, notaio e giudice della Vicaria, fu nominato tesoriere.

Francesco De Vito e Tino di Camaino furono mandati ad esaminare la Certosa di Trisulti (Frosinone) per comprendere le esigenze di spazio e di vita imposte dalla *Regola* Certosina. Giovanni de Vito, priore di Trisulti, effettuò una visita durata dodici giorni per controllare i lavori del complesso napoletano.

Tra il 1326-1327 Carlo ordinò l'acquisto di un terreno confinante con l'area della Certosa risultata insufficiente rispetto al progetto, pagando 170 once ai fratelli Bernardo e Giovanni Caracciolo.

Nel 1325, intanto, lo scultore fiorentino Pacio Bertini eseguiva le colonne del chiostro.

Morto improvvisamente il Duca di Calabria nel 1328, il padre Roberto portò avanti i lavori di costruzione della Certosa il cui primo nucleo risulta compiuto nel 1337 quando si insediarono tredici monaci con a capo il priore Roberto da Siena. Nel 1336, morti Tino di Camaino e Giovanni de Haya, subentrarono gli architetti Atanasio Primario e Balduccio de Matha, inoltre Pietro di Cadaneto e Giovanni Spinelli quali delegati dei sovrani.

Morto Roberto d'Angiò nel 1343, salì al trono Giovanna I, figlia del Duca di Calabria, le cui travagliate vicende personali procurarono un rallentamento dei lavori al punto che la Chiesa della Certosa fu consacrata nel 1368.

Un grande benefattore, dopo gli Angioini, fu il fiorentino Niccolò Acciaiuoli, Gran Siniscalco del Regno, fondatore della Certosa del Galluzzo nei pressi di Firenze (1341-1342).

Per la costruzione del complesso fu elaborato un progetto ardito nel quale era previsto lo sfettamento della collina, sfruttando naturali dislivelli; le strutture venivano impostate su due ampie terrazze, innalzando poderosi pilastri con archi a tutto sesto su doppia fila, raccordati fra loro con archi a sesto acuto, volte a crociera e volte a botte, in funzione di contrafforti. La forza simbolica della generosità Reale e del distacco dal mondo secondo l'ideale certosino erano fuse in una icastica immagine, cardine del paesaggio napoletano.

Francesco De Vito, Atanasio Primario, napoletani, Tino di Camaino, senese, Giovanni Antonio Dosio, fiorentino, Giovanni Giacomo Conforto, napoletano, Cosimo Fanzago, bergamasco, Bonaventura Presti, bolognese, Nicola Tagliacozzi Canale, napoletano, sono gli architetti di spicco che, nell'arco di cinque secoli, dal Trecento al Settecento, dettero l'impronta allo sviluppo della fabbrica nel costante ampliamento e rinnovamento, sotto le spinte di complesse istanze storiche e del gusto, per volere del potente Ordine monastico.

I dettami del Concilio di Trento (1545-1563), il grande sforzo di rinnovamento della Chiesa cattolica che dette nuovo valore all'uso delle immagini in funzione di una devozione massiccia e capillare e di una partecipazione collettiva alla vita liturgica, un deciso coinvolgimento degli ordini monastici e, quindi, delle Certose nella diffusione del messaggio religioso tridentino, una notevole autonomia nel gestire le proprie comunità da parte dello stesso Ordine certosino, le accresciute ricchezze, connesse a privilegi, benefici, rendite, in uno con l'incremento della comunità monastica, determinarono il rimodernamento decisivo del complesso napoletano a partire sostanzialmente dalla seconda metà del XVI secolo. La fede trovò allora nuova esaltazione attraverso la magnificenza di preziosi apparati decorativi, la ricchezza dei cicli pittorici e plastici, i densi programmi dottrinari, le complesse simbologie.

Dunque dalla seconda metà del Cinquecento e per tutto il corso del Seicento (con interventi che andranno avanti fino alla seconda metà del XVIII secolo) si assiste ad una intensa attività architettonica e decorativa: viene ampliato il complesso rimodernando gli antichi ambienti; vengono realizzati cicli di affreschi nella Chiesa, nella Sacrestia nuova, nelle cappelle ristrutturate e totalmente rimodernate, nel Parlatorio; tele e sculture diventano tasselli fondamentali del vasto e complesso programma.

La ricchezza delle immagini ed i fastosi apparati, in luogo dell'antica austerità degli ambienti medioevali, erano riflesso sia della nuova religiosità controriformistica sia del dibattito filosofico interno all'Ordine circa il valore delle arti figurative, la magnificenza degli apparati, la ricchezza e l'uso delle immagini; fino alle teorizzazioni ed alle giustificazioni riscontrabili nei trattati filosofici di Dionigi di Ryckel (1402-1471), monaco certosino, che «giunge ad esaltare la bellezza sensibile come riflesso della bellezza del Dio creatore» e la «giudica del tutto compatibile con la tradizione dell'ascetismo cartusiano» (Vedovello).

Antesignano del nuovo corso fu il priore Severo Turboli, a partire dal 1580 circa; il suo vasto programma, sostenuto negli anni da notevoli sforzi finanziari, potrà ritenersi concluso solo nella seconda metà del XVIII secolo. Un attento studio della progressione dei lavori (comprese le acquisizioni, in generale, del patrimonio d'arte) induce a ritenere che ripensamenti, indugi e virate decisive siano da attribuire sia alle tensioni inevitabili sorte tra religiosi "innovatori" e religiosi "conservatori", sia alla complessità degli interventi tesi sostanzialmente a trasformare, pur con aggiunte, piuttosto che a demolire, un tessuto architettonico preesistente; lungi dall'essere condizionate, le grandi personalità del Dosio, del Fanzago, del Lanfranco, del Ribera, del Vaccaro, del Tagliacozzi Canale, del Sanmartino, furono addirittura eccitate creativamente.

Trascurando episodi minori, ampliamenti e rimodernamenti – ma furono realizzate anche costruzioni ex-novo come la "chiesa delle Donne" – a partire dal Cinquecento interessarono il "secondo piano" della Certosa, il Chiostro grande, compresa la "Cisterna", il Chiostro dei Procuratori, la Chiesa con gli ambienti attigui (Sacrestia, Capitolo, Parlatorio, Coro dei Conversi), l'"Ala del Noviziato".

Nella sontuosa veste decorativa tardo-manieristica d'estrazione tosco-romana e poi barocca e rococò, i cicli biblici, cristologici, mariani, agiografici e allegorici esaltano, in una sintesi meditata, i principi ideologici della Controriforma e della vita monastica certosina secondo un ideale di riforma non solo istituzionale ma anche interiore; per ribadire, infine, la grandezza della fede e l'acclamazione del martirio, denunciando la passione dei Fratelli certosini in Inghilterra massacrati nel corso delle persecuzioni scatenate da Enrico VIII; in presenza anche degli episodi affrescati dal Corenzio (1635-1637) e dal Gargiulo (1638-1640) nell'atrio della Chiesa.

Il linguaggio manieristico del Dosio, maturato sugli insegnamenti michelangioleschi innestati su un recupero storicistico dell'Antico e della eredità brunelleschiana, raggiunge effetti di severa grandiosità nella Chiesa, ad onta della rutilante veste barocca, e di raffinata eleganza nel Chiostro grande. La prima, già spoglia ed austera nel XIV secolo, viene trasformata, ora, in una monumentale aula rettangolare con cappelle laterali, delimitate da alte paraste, rivestita di marmi policromi; conservando, tuttavia, le volte a crociera, di antica eredità gotica, che nella interpretazione fantastica di Giovanni Lanfranco diventano con illusivo gioco barocco *medium* prospettici, lasciando scorgere squarci di cielo popolato di Santi, Beati, Patriarchi che fanno corona al *Cristo portato in gloria dagli angeli presso l'Eterno Padre* (1637-1639). L'affresco, compositivamente complesso, animato da un intenso patetismo, manifesta la vittoria della scuola emiliano-romana nel contesto culturale-figurativo napoletano coevo ed il rapporto serrato con le notevoli prove offerte dal Maestro a Roma negli anni Venti fino alla sua venuta a Napoli nel 1634.

L'ampia aula della Chiesa recupererà ulteriore spazio nel fondo grazie all'allungamento dell'abside alla fine del XVI secolo; sarà possibile, in tal modo, realizzare un Coro più ampio in rapporto all'aumento della famiglia monastica, ottemperando non solo alle norme della Controriforma in merito alle scelte architettoniche ma anche alla esigenza di squadernare nuovi ampi cicli biblici e cristologici.

Il chiostro, trascurando gli apporti del Fanzago, impostato su 64 colonne di marmo di ordine tuscanico, rivela il gusto del Dosio incline ad esaltare profili e modanature all'insegna di un ideale linearistico connesso al raggiungimento di armonici rapporti proporzionali tali da conseguire un'«ultima grande immagine di toscanità nella metropoli del Mezzogiorno» (Pane). La "Cisterna", a Napoli «forse l'unica opera che denota la fresca genialità e l'intelligenza di un autentico *divertissement* manierista» (De Cunzo), ed il Puteale, pure attribuiti all'architetto, fanno parte integrante di un programma legato non solo ad esigenze funzionali ma anche al valore simbolico dell'acqua *Fons salutis*.

Il Cinquecento, infine, trova momenti di esaltazione nella Sacrestia. Quivi sono da segnalare i preziosi *armadi* lignei (1587-1598), decorati con figure di *Santi, Beati, putti, mascheroni, festoni di frutta e fiori*, scolpiti dai napoletani Nunzio Ferraro e Giovanni Battista Vigliante, con intarsi raffiguranti *Storie bibliche, Storie dell'Apocalisse, Architetture in prospettiva, Festoni di frutta e fiori con uccelli*, eseguiti dai fiamminghi Lorenzo Ducha e Teodoro de Voghel; con ferramenti dell'olandese Enrico di Utrecht.

E sono pure da segnalare i non meno preziosi affreschi di Giuseppe Cesari, il Cavalier d'Arpino, databili al 1596-1597, raffiguranti *Storie della Passione di Cristo, Storie bibliche, Profeti, Virtù, Putti*; incastonati in raffinati stucchi manieristici. Merita una citazione particolare il *Crocifisso con la Vergine, la Maddalena e san Giovanni Evangelista* (olio su tela, 1591), sulla retrofacciata d'ingresso, racchiuso in una monumentale cornice di stucco dorato; in basso funge da predella la *Negazione di Pietro* (olio su tela) di ignoto caravaggesco franco-fiammingo (1630 ca.), proiettato su uno sfondato colonnare ad esedra, dipinto ad olio su tela da Viviano Codazzi, nel 1644, su disegni e regia di Cosimo Fanzago. Esiti supremi tocca infine nel *leggio monumentale* del Coro, denso di significati simbolici.

Alla morte di Dosio (nel 1610 risulta ancora in vita), nella direzione del cantiere subentra per breve tempo il suo allievo Dionisio di Bartolomeo; poi è la volta di Giovan Giacomo Conforto presente fino al 1629 quale "architetto e Ingegnere del Monastero".

Nel Seicento furono portati a compimento, in gran parte, i lavori architettonici iniziati nel secolo precedente, realizzando un fastoso apparato decorativo, con intendimenti chiaramente barocchi; il classicismo cinquecentesco e il tardomanierismo in pittura, in particolare, cedevano al naturalismo dei seguaci caravaggeschi e poi alla corrente montante del moderno gusto barocco d'estrazione romano-emiliana; lo studio delle stratificazioni storiche consente di seguire quasi anno per anno tendenze e cambiamenti. Alle maestranze forestiere: genovesi, veneti, marchigiani, toscani, romani, fiamminghi, francesi, olandesi – alcune come quelle fiorentine e romane gradite ed in sintonia con le scelte stilistiche del Dosio – subentrarono nei primi decenni del Seicento numerosi i napoletani scelti dalla committenza certosina consapevole delle nuove tendenze elaborate nella Capitale del Viceregno, uno dei centri culturali maggiori del bacino Mediterraneo nel corso del secolo.

Tra i nuovi più eclatanti episodi architettonici vanno annoverati: il "Quarto del Priore", la Farmacia, la "Cappella del Tesoro".

Nel 1623 l'ingresso di Cosimo Fanzago segna una svolta definitiva per la modernizzazione barocca del complesso la quale, grazie alla fervida e inesauribile fantasia del Maestro ed alla sua focosa regia, trova anch'essa momenti di straordinaria risonanza nello stesso Chiostro grande (1623-1656) col nuovo Cimitero dei Monaci (1631), nella chiesa con gli ambienti attigui e nella facciata «articolata sul tema della serliana», purtroppo incompiuta.

L'equilibrio classicistico della orditura cinquecentesca del chiostro dosiano è sollecitato dalla sensibilità decorativa e plastica e dalla irruenza emotiva del Fanzago, il quale tende da un canto a movimentare le pareti dell'ambulacro con intenti scultorei chiaramente barocchi, rinunciando alla superficie limite, realizzando possenti coaguli plastici nelle sette *porte angolari* marmoree, compiute entro il 1631, con le presenze incombenti di patetiche e concitate figure di Santi e Beati dell'Ordine certosino (*Sant'Ugo, Beato Nicola Albergati, San Bruno, Sant'Antelmo, San Martino, Beato Landuino, San Gennaro*; tra questi i *Santi Martino* e *Gennaro* furono scolpiti da Domenico Antonio Vaccaro nel 1709), eseguite entro il 1656, in rapporto evidente con le coeve esperienze del Ribera e del Lanfranco; dall'altro ad acuire gli accenti scenografici, collocando sul cornicione turgide basi di bardiglio con figure sacre – il *Cristo risorto* di Michelangelo Naccherino (1617); la *Vergine col*

Bambino di Antonio Perasca (1594); *San Giovanni Battista* e *San Paolo* di Giovanni Battista Caccini (1593), portati a compimento dal Fanzago (1631) al quale spettano i *Santi Bruno, Pietro* e *Martino* (1631); *Santa Lucia*, una scultura rielaborata di arte romana del II secolo d.C. – vasi e sfere. Successivamente sarà realizzato il coronamento delle alte pareti superiori con un'aerea balaustra di piperno e marmo.

Nella Chiesa una visione spaziale mossa e scenografica ispirò al Bergamasco una nuova sintesi formale tesa ad incardinare, secondo un'unica concezione plastico-cromatica e decorativa, i più diversi apporti delle epoche e del gusto; grazie alla coltre dei marmi commessi e delle pietre dure, degli stucchi e delle dorature, degli innumerevoli elementi naturalistici ornamentali (festoni di frutta e fiori con uccelli svolazzanti, anfore con fiori, racemi vegetali, fioroni) – invenzioni originalissime del Maestro su pretesti naturalistici decantati al filtro di uno stile controllato, eseguite con assoluto rigore formale, in rapporto con gli esiti della pittura di "natura morta" napoletana da Giacomo Recco a Luca Forte fino alle aperture barocche, volgendo dalle premesse di antica matrice manieristica alla moderna concezione naturalistica caravaggesca e poi verso libere forme ed un gusto fastoso e decorativo barocchi – dei cicli di affreschi, delle tele, delle sculture.

Una visione che valse ad armonizzare non solo "tendenze e soluzioni differenziate" riscontrabili tra quanti in un trentennio furono intenti ad operare a contatto di gomito negli ambienti di massima rappresentanza culturale, simbolica e culturale della Certosa (escluso in questo caso il Chiostro grande); considerando le «profonde diversità ideali e culturali, prim'ancora che stilistiche, esistenti non solo tra i pittori della "maniera tarda" – dal Cavalier d'Arpino al fratello Bernardino, da Lazzaro Tavarone al Baglioni e a Belisario Corenzio – [...] ma tra gli stessi comprimari di Cosimo Fanzago, che, pur muovendo da premesse e in situazioni affini, pur operavano con fini e risultati solo apparentemente omogenei» (Spinosa). Ma anche gli apporti conclusivi settecenteschi ad opera di Luca Giordano, Paolo de Matteis, Francesco Solimena, Francesco De Mura, Domenico Antonio Vaccaro, Matteo Bottigliero, Nicola Tagliacozzi Canale, Giuseppe Sanmartino.

Nel 1622 faceva il suo ingresso in Chiesa la solenne *Lavanda dei piedi* dipinta da Battistello Caracciolo, il cui caravaggismo è decantato, ormai, al filtro carraccesco di Giovanni Lanfranco, situata nel Coro accanto alla *Comunione degli Apostoli* (1638-1651), del Ribera; all'*Adorazione dei Pastori* (1641), del Reni; all'*Ultima Cena* (fine XVI secolo), della bottega del Veronese; ai *Preparativi per l'Ultima Cena* (1639), dello Stanzione (tutti oli su tela); a conclusione di un travagliato riassetto procurato da virate decisive dei gusti della committenza certosina aperta ai complessi fermenti dei moderni indirizzi della scuola di pittura napoletana degli anni Trenta, volta ad una ricchezza di racconto e di tavolozza cromatica, ad un vivo tono sentimentale, ai pittoricismi del neovenetismo, a complessità compositive con accenti decorativi ormai barocchi.

L'*exploit* battistelliano è il primo di una serie di capolavori che impegnò l'artista fino a qualche anno prima della morte: l'*Adorazione dei Magi, San Giovanni Battista, San Martino* (oli su tela), databili intorno al 1626, presenti nella Sala capitolare; l'*Assunzione della Vergine* (olio su tela) e *Storie della vita della Vergine* (affresco), databili al 1631, nella cappella dedicata all'Assunta in Chiesa; *San Gennaro in gloria con Santi Vescovi Compatroni di Napoli*, il *Supplizio dell'aculeo, Decollazione di san Gennaro e Compagni martiri* (oli su tela), *Storie della Passione di san Gennaro, Traslazione delle reliquie del Santo, Le reliquie del Santo in processione operano il miracolo dell'arresto della lava al Ponte della Maddalena nel 1631* (affreschi), databili al 1632-1634, nella cappella dedicata al Patrono nella Chiesa.

E non mancano altri mirabili dipinti acquisiti dalla insigne "Quadreria" già nel "Quarto del Priore".

Negli stessi anni Paolo Finoglia scopre il suo "rapporto di consuetudine e familiarità, forse più che di discepolato", col Caracciolo, legando il suo nome, per prima, alla *Circoncisione* (olio su tela) nella Sala capitolare, documentata al 1626: gli evidenti risentimenti battistelliani in questa opera sono temperati dall'attenzione che il Maestro porta alle coeve aperture di Simon Vouet il cui caravaggismo iniziale, già filtrato attraverso Manfredi, Borgianni, Saraceni, ispirandosi anche ai due Gentileschi ed al linguaggio ormai barocco del Lanfranco, volge ad una tavolozza cromatica chiara e luminosa, a soluzioni compositive più mosse e scenografiche e ad un gusto narrativo riscontrabili, peraltro, nella tela raffigurante *La Vergine col Bambino consegna la Regola a san Bruno*, firmata e datata dal Francese al 1626, presente nella stessa Sala. Tangenze iberiche innestate sulle stesse esperienze il Finoglia rivela, invece, nelle lunette, ad olio su tela, con *Santi Fondatori dei maggiori ordini monastici*, databili tra il 1626 ed il 1631, pure nella Sala capitolare; e domenichiniane con indulgenze tardomanieristiche, pur aderendo al linguaggio naturalistico, nelle *Storie della vita di san Martino*, affrescate nella cappella dedicata al Santo nella Chiesa, databili al 1631.

Intanto nel 1627 i maestri intagliatori Orazio de Orio e Carlo Bruschetta portavano a compimento le *spalliere* e i *sedili*, di legno di noce, nella Sala capitolare; tra il 1629 ed il 1631 lo stesso de Orio insieme con Giovanni Mazzuoli esegue gli *stalli del coro* nella Chiesa, pure di legno di noce, di una rigorosa impostazione architettonica di gusto classicistico d'estrazione cinquecentesca, distinti da severa eleganza. Negli anni Trenta Cosimo Fanzago, verisimilmente, curò l'adattamento degli *stalli* dell'antico Coro dei Monaci, eseguiti da Giovan Francesco d'Arezzo e frate Prospero intorno al 1520, già situati nella Chiesa; ricomponendoli nell'ambiente adibito a Coro dei Conversi.

Qui esplodeva l'estro narrativo di Domenico Gargiulo (detto Micco Spadaro) – con la collaborazione, verisimilmente, di Viviano Codazzi quadraturista, non senza la regia, forse, dello stesso Fanzago al quale spettano sia l'*altare* sia il bellissimo *lavabo* documentato al 1631, in chiara funzione focale e di raccordo della complessa scenografia squadernata dal telaio architettonico in finta prospettiva, dagli arazzi svolazzanti annodati ai fantasiosi pilastri o alle monumentali cornici del coronamento centrale, dai putti sporgenti dagli oculi, dagli innumerevoli *trompe-l'oeil* – intento, il Gargiulo, ad affrescare *Storie dell'Antico e del Nuovo Testamento*, *Storie della vita di Santi Padri certosini* (tratte dal cronista Pietro Dorlando certosino), l'*Annunciazione*, incastonate in un fastoso apparato. Databili tra il 1638 ed il 1640 (in quest'anno l'artista riceve 500 ducati), consacrano le sue doti di paesaggista di rango in linea con le

coeve esperienze nordiche e francesi, pur riflettendo, talvolta, qualche spunto tratto da Paolo Brill e da Filippo Napoletano; nonché l'empito scenografico e decorativo di colta estrazione romana e tardomanieristica.

Alla vasta impresa vanno aggiunte la lunetta, affrescata negli stessi anni, con *La raccolta della manna* nel Tesoro Vecchio o "Camera degli Argenti", attigua alla Sacrestia, e due *Storie dei Martiri certosini*, sacrificati nel corso delle persecuzioni scatenate da Enrico VIII, affrescate nell'atrio della Chiesa, probabilmente, tra il 1638 ed il 1640. Non trascurando i superbi *Paesaggi* affrescati nel "Quarto del Priore" ed un cospicuo gruppo di tele di notevole bellezza acquisite dalla "Quadreria" dello stesso "Quarto".

Dal 1630 è da registrare la presenza di un altro protagonista della pittura napoletana del secolo: Massimo Stanzione, impegnato per circa venti anni in Certosa, pur con interruzioni e riprese; annoverando al suo attivo una produzione non meno imponente di quella del Caracciolo e del Ribera; un segno eloquente dei gusti aggiornati della committenza certosina, pur se il Maestro fa uso di raccomandazioni umanamente comprensibili, ma anche espressione di un nuovo linguaggio incline ad una "realtà devozionale", colta ed affabile, luminosa e decorativa, dalla quale sono esclusi i rigorismi intellettualistici della "casistica cartesiana delle emozioni" e le "leggi ferree dello stoicismo di Poussin"; proponendo seducenti immagini intenerite da preziosità cromatiche e luministiche, da accenti sentimentali, pur decantati dalla norma classicistica, rifiutando, ormai, i drammi ed i severi modelli dell'antico naturalismo caravaggesco. Nel complesso stile stanzionesco, infatti, sono fusi in una sintesi perfetta spunti innumerevoli offerti al suo genio ricettivo soprattutto dal crogiolo romano degli anni 1617-18 fino al 1630; figura tipica dell'artista barocco per il quale è possibile attingere in modo libero e spregiudicato alle più varie fonti: dall'Hontorst al Saraceni, dal Manfredi al Vouet, dal Reni al Lanfranco, dal Domenichino al Poussin, dai Gentileschi al Caracciolo, al Ribera.

La prima grande impresa sono gli affreschi e le tele raffiguranti *Storie della vita di san Bruno* nella cappella dedicata al Fondatore dell'Ordine in Chiesa; iniziata nel 1630 può ritenersi conclusa entro il 1637, anno in cui sono segnalati gli ultimi pagamenti; nella glorificazione del Santo lo Stanzione persegue un concetto di unità decorativa e spaziale tipicamente barocco, rinunciando alle partizioni degli stucchi di antica eredità manieristica, preferite dal Fanzago e dal Caracciolo, scegliendo lo sfondato offerto dalla calotta, popolandolo di angeli e putti partecipi della *Gloria di san Bruno elevato in cielo*, in cui sono manifesti riferimenti al Reni ed al Lanfranco.

Nel 1638 era compiuta la magnifica tela con la *Pietà* collocata sulla retrofacciata della Chiesa, i cui echi ribereschi sono assorbiti dai pittoricismi e dalle preziosità cromatiche riflesse dai rapporti con Artemisia Gentileschi. Nel 1639 era compiuto il telone con i *Preparativi per l'Ultima Cena* collocato, come già detto, nel Coro della Chiesa, a completamento del "ciclo eucaristico"; nel cui monumentale impianto "neocinquecentesco" brillano spunti echeggianti Simon Vouet e la stessa Gentileschi, con l'inserimento di brani indimenticabili di natura morta e di suppellettili eseguiti dal Maestro e, forse, da Giovanni Battista Recco.

Tra il 1642 ed il 1647 si colloca la decorazione della cappella dedicata al Battista in Chiesa; sugli affreschi (si segnala, in particolare, *San Giovanni Battista liberato dal Limbo e portato in gloria dal Cristo*, nella scodella, dalle complesse soluzioni prospettiche e compositive di forte empito scenografico), nei quali è possibile avvertire l'articolazione del linguaggio stanzionesco aperto tanto a forti risentimenti "neo-correggeschi" lanfranchiani, quanto a calibrate impaginazioni spaziali, ad un vivace cromatismo, ad una misurata retorica degli affetti di impronta classicistica domenichiniana, sugli affreschi, dunque, hanno la prevalenza i dipinti su tela (*Il Battesimo di Cristo, Decollazione del Battista; Salomè davanti a Erode*) ove l'antico naturalismo cede a «forme di grazia acconciata ed accessibile, indirizzate non tanto alla piacevolezza quanto allo scandaglio sentimentale (l'indimenticabile malinconia di Erode!)» (Causa).

Nel 1644 il Maestro lavora intensamente: dal *Cristo che esce dal Pretorio* con prospettiva architettonica dipinta da Viviano Codazzi su disegno di Cosimo Fanzago, sull'arco del vano di passaggio dalla Sacrestia alla "Cappella del Tesoro"; alle *Storie dell'Antico Testamento*, al *Cristo morto portato in volo dagli angeli*, agli *Evangelisti*, ai *Profeti*, alle *Storie della Passione del Cristo* affrescati nella volticina ed ai lati delle finestre dello stesso vano; alla tela con *La Vergine col Bambino ed i santi Ugo ed Antelmo* nella cappella di Sant'Ugo nella Chiesa. Non trascurando, benché eseguiti in anni diversi, altri stupendi dipinti acquisiti dalla "Quadreria" certosina nel "Quarto del Priore".

Infine, merita una citazione particolare la tela con l'*Adorazione dei pastori*, databile al 1626-1630, forse la prima opera commissionata al Maestro, collocata nella Sala capitolare, improntata ad un naturalismo severo e con forti risentimenti battistelliani.

Negli stessi anni si segnalano le presenze di Jusepe de Ribera e di Giovanni Lanfranco. Al 1637 risale uno dei capolavori del Maestro spagnolo: la *Pietà*, già sull'altare nel suddetto vano in fondo alla Sacrestia poi demolito per realizzare un varco d'ingresso alla "Cappella del Tesoro" costruita nella seconda metà del XVII secolo, nella quale fu collocato, appunto, il dipinto. La committenza monastica preferiva, ora, la pittura riberiana aperta ad una solenne monumentalità, ad «una gravità più serena, a una maggiore preoccupazione verso la ricerca psicologica, a un progressivo interesse per il gioco del colore, la libertà del pennello e la conquista di uno spazio e di un ambiente luminoso alieno dal tenebrismo delle origini e analogo al neovenetismo che caratterizza la pittura romana verso il 1630» (Perez-Sanchez); una matura scelta del Maestro volto a temperare i drammi accesi e fortemente naturalistici del suo stile giovanile a contatto dei caravaggeschi nordici in ambiente romano, in presenza della pittura fiammingo-rubensiana e vandyckiana. In questa linea nascono altri capolavori quali i *Profeti* (1638), nei pennacchi sopra gli archi d'ingresso alle cappelle nella Chiesa certosina; campioni di "una umanità tanto profonda e spoglia" (Perez-Sanchez), toccati da "spirito sistino" (De Maio); seguiti negli anni dal *San Bruno* (1643), dalla materia cromatica intrisa di luce, distinto da una intensa spiritualità e da preziosi pittoricismi; dai *Santi Girolamo* (1651) e *Sebastiano* (1651) – dipinti, tutti, acquisiti dalla "Quadreria" nel "Quarto del Priore" – dalla *Comunione degli Apostoli*, iniziata nel 1638 e portata a compimento nel 1651, collocata nel Coro della Chiesa: «la forte tradizione naturalista dei volti si iscrive in una solenne scenografia, nella quale rivive l'opulenza veronesiana interpretata in chiave personalissima» (Perez-Sanchez). Dunque la «materia grumosa e sensuale, il trattamento sempre più pittorico, senza rinunciare alla monumentalità, rappresenta il punto più alto del suo stile barocco. Però allo stesso tempo, nelle figure di martiri ed eremiti, nelle quali non rinuncia a certi effetti di violenti contrasti luminosi, è evidente la trasformazione magnifica, sensuale e profondamente originale, che nelle sue mani ha subito il caravaggismo»(Perez-Sanchez).

Il grande talento decorativo del Lanfranco ed il suo drammatico stile barocco si imposero sulla committenza, mettendo a tacere rivali del calibro di Ribera e di Stanzione, costretti a subire la sua presenza sui ponti della Chiesa sanmartiniana, consapevoli, tuttavia, dell'immane compito che gli era stato assegnato dai monaci, superato con foga e con felicità inventiva inusitata per Napoli; sciogliendo quello stesso stile drammatico degli anni romani in soluzioni compositive luminose ed ariose, in cromatismi dalle tonalità cangianti, in movimenti ampi ed avvolgenti, in patetismi accentuati: la montante stagione barocca d'estrazione romano-emiliana si affermava in un contesto segnato dalle più alte espressioni di indirizzo naturalista.

Tra il 1637 ed il 1639, il Lanfranco realizzava, dunque, gli affreschi, rispettivamente, nelle volte a crociera della navata della Chiesa: il *Cristo portato in gloria dagli angeli presso l'Eterno Padre*; nel lunettone della parete di fondo dell'abside: la *Crocefissione*; nelle vele dei finestroni della navata: gli *Apostoli*; nelle vele dei finestroni del Coro: *Santi monaci e Vescovi certosini*; nelle vele accanto al finestrone della retrofacciata: *Cristo chiama a sé Pietro e Andrea*; *Cristo cammina sulle acque in atto di sorreggere Pietro che affonda*.

Nel 1641 la monumentale tela raffigurante l'*Adorazione dei pastori* di Guido Reni, ispirata ad un idealismo «in un difficile equilibrio fra superiore bellezza delle forme e intima adesione del sentimento, che sola le vivifica» (Baccheschi), viene collocata nel Coro quale centro focale, più in generale, dell'intera Chiesa, divenendo un "nuovo punto di riferimento per la storia dell'arte a Napoli". «Intere generazioni d'artisti, per un secolo e più,

si sarebbero soffermati su questo testo fondamentale, non tanto a cercarvi le norme di una grazia e di un decoro classico, quanto a cogliervi il segreto della luce che isola l'immagine dal contesto, e delle forme che si dissolvono in libera vibrazione cromatica» (Causa).

Intanto, negli stessi anni Trenta le presenze dei maggiori protagonisti della pittura napoletana del Seicento determinarono l'allontanamento definitivo di Belisario Corenzio che era riuscito ad ottenere dalla committenza certosina, chissà con quali raccomandazioni, di potere eseguire vari affreschi fino al 1635-1637: *Storie della vita di sant'Ugo* nella cappella dedicata al Santo nella Chiesa; *Storie della Passione di sant'Agata e di santa Caterina d'Alessandria* nella cappella dedicata a San Nicola anche nella Chiesa; *Storie dell'Antico e del Nuovo Testamento, Figure allegoriche* nella Sala capitolare; *Storie della Passione dei Certosini in Inghilterra* nell'atrio anche della Chiesa. Eppure nel 1632 una umiliazione ben più grave colpiva il prolifico pittore, drastica virata procurata dai gusti moderni: la distruzione dei suoi affreschi nella cappella dedicata a San Gennaro per far posto ai capolavori di Battistello ed ai rigogliosi stucchi dorati di Cosimo Fanzago.

Nella cerchia dei pittori legati ai modi del classicismo stanzionesco le ricerche volsero con Andrea Vaccaro e Pacecco De Rosa verso soluzioni formali di notevole interesse, uscendo, infine, in involuzioni chiaramente accademiche.

Non mancano testimonianze pregevoli del primo nella cappella della Maddalena (la *Maddalena* 1636), nella cappella di Sant'Ugo (due *Storie della vita di sant'Ugo* 1652), altre nella "Quadreria" nel "Quarto del Priore"; del secondo nella cappella di San Nicola (*San Nicola* 1636), altre nella stessa "Quadreria".

A Bonaventura Presti, certosino, subentrato intanto al Fanzago nella direzione dei lavori in Chiesa e, più in generale, nel complesso, appartiene il disegno del magnifico *pavimento*, di marmi commessi, nella navata della Chiesa; eseguito tra il 1664 ed il 1666, è da ritenere una delle più spettacolari imprese della specialistica tecnica a Napoli nel corso del secolo; prima del 1685 egli dovette soprintendere, verisimilmente, ai lavori per la costruzione della "Cappella del Tesoro", affrescata in seguito da Luca Giordano; su suoi disegni sono eseguiti gli *armadi* nella cappella di San Nicola e le *cancellate* di ottone a chiusura delle cappelle nella stessa Chiesa.

Il Settecento proponeva agli inizi il manifesto della pittura europea: il *Trionfo di Giuditta* affrescato dal Giordano, nel 1704, nella "Cappella del Tesoro"; poi, negli anni Venti, alcune insuperabili espressioni di quella unità delle arti libera da astratte affermazioni di principio, grazie all'apporto di Domenico Antonio Vaccaro il quale estrinseca la poliedrica natura di architetto, pittore e scultore, rimodernando, con impeto scenografico e decorativo improntato ad un gusto barocchetto lieve e gentile, le cappelle dedicate alla "Vergine del Rosario, a San Giuseppe ed a San Gennaro"; alcuni anni dopo, andando oltre la metà del secolo, una mole di interventi che avrebbero arricchito ulteriormente il complesso di insigni episodi d'arte, a completamento dei vasti programmi dottrinari, decorativi e funzionali. Su progetti di Nicola Tagliacozzi Canale furono realizzati: il Refettorio (1723-1724), il Chiostrino attiguo, la cappella della Maddalena con il corridoio attiguo, il *coffee-house* compresa la sistemazione degli "orti" e dei "giardini" e quella del "Cortile interno" del "Quarto del Priore" con la *nicchia* monumentale nella quale campeggiava il marmoreo gruppo della *Vergine col Bambino e san Giovannino*, di Pietro Bernini.

Al grande architetto, dotato di un felice estro decorativo e scenografico, ed al grandissimo Giuseppe Sanmartino vanno assegnati i raffinati rimodernamenti, del più fragrante e prezioso gusto rococò, delle cappelle dedicate all'Assunta ed a San Martino, nel 1757, e la *balaustra*, di marmi policromi, pietre dure e bronzi dorati, *medium* geniale tra la navata ed il Coro (1761).

Tra il 1699 ed il 1719 si collocano gli interventi di Paolo de Matteis: dall'affresco nella volta della Farmacia (*San Bruno intercede presso la Vergine per l'Umanità sofferente*), alle tele nel vestibolo della "Cappella del Tesoro" (*La Giustizia; La Purità; L'Innocenza; La Religione*) compreso l'affresco sulla facciata d'ingresso; dalle tele nella cappella di San Giovanni Battista in Chiesa (*San Giovanni Battista addita il Redentore a due suoi discepoli; San Giovanni Battista predica nel deserto*), a quelle nella cappella di San Giuseppe (*L'Immacolata con i santi Giuseppe, Anna e Gioacchino; Lo sposalizio della Vergine; La fuga in Egitto; Morte di san Giuseppe; Gloria di san Giuseppe*) compresi gli affreschi (*L'Eterno Padre, angeli e putti*). In aggiunta a vari dipinti nella "Quadreria" del "Quarto".

Databile al 1705 è l'*altare maggiore*, di legno dorato e laccato finto marmo, su disegno di Francesco Solimena, autentico modello in scala gigante, con *putti* e *cherubini* eseguiti da Giacomo Colombo: gli *angeli reggifiaccole* capialtare, di cartapesta argentata, documentati al 1768, autografi del Sanmartino, di eletta qualità decorativa, richiamano late risonanze degli insegnamenti del Bracci. Al Solimena spettano pure le tele con *Storie della vita di san Martino* (1732-1733) nella cappella dedicata al Santo in Chiesa. Al 1757 circa vanno datate le tele con *Storie della vita della Vergine* e con *L'Immacolata*, di Francesco De Mura, nella cappella omonima nella stessa Chiesa. Infine è da annoverare tra i più alti raggiungimenti della statuaria napoletana e, più in generale, italiana del Settecento la imponente galleria di *Santi e Beati Certosini, Evangelisti, Figure allegoriche*, di marmo e di stucco, eseguiti in anni diversi da Lorenzo e Domenico Antonio Vaccaro, da Matteo Bottigliero e da Giuseppe Sanmartino.

Ai protagonisti citati tenne seguito una eletta schiera di marmorari, pipernieri, stuccatori, quadraturisti, intagliatori, ebanisti, fabbri e poi insigni argentieri, orafi, mobilieri, ricamatori, ceramisti, intarsiatori. Con gli altri: Nicola de La Fage, Giacomo Cafaro, Giovanni Battista Turven, Orazio de Orio, Baldo Vazzani, Giovanni Selino, i due Monte, Biase e Gennaro, Giovan Domenico Vinaccia, Girolamo Pelino, Paolo Francesco Brandi, Francesco Antonio Saverio Grue, dal Barocco al Rococò, concorsero alla realizzazione della "varia, composta gentile, e grave ricchezza" del monumento, vera scuola dell'arte napoletana del Seicento e del Settecento; cancellando per sempre l'austero aspetto medioevale della Chiesa e degli ambienti annessi.

Il fascino dei luoghi e la fama del patrimonio d'arte richiamarono l'attenzione costante di personaggi illustri italiani e stranieri, nonché di artisti spinti finanche ad annotare schizzi ed impressioni. Diari, appunti di viaggio, guide forniscono le prove della consolidata fama; dal De Stefano al D'Engenio Caracciolo, dal Capaccio al De Magistris, dal Celano al Sarnelli, dal Parrino al Sigismondo, al Tufari, tutti in misura diversa ma con identica ammirazione ribadiscono descrizioni e pregi del monumento e delle raccolte d'arte. Giudizi lusinghieri espressero illustri viaggiatori stranieri che nella tappa d'obbligo del "Grand Tour" annoveravano una visita alla Certosa ed al "Quarto del Priore": dal Mabillon al Misson, dal de Brosses al Salmon che paragonò, in particolare, il "Quarto" ad una dimora degna di un principe; dal Saint-Non al Fragonard, all'Hubert Robert, allo spagnolo Leandro Fernandez de Moratin.

Il sequestro delle oreficerie e delle argenterie, poi distrutte nella Zecca di Napoli, effettuato nel 1794 per ordine di Ferdinando IV al fine di sostenere le spese di guerra (sventura toccata in sorte ad altri insigni monumenti ecclesiastici) fu un segno premonitore delle perdite gravissime e delle offese che il complesso ed il patrimonio d'arte certosini avrebbero sofferto negli anni a venire. Nel 1799 la Certosa e la comunità monastica furono al centro degli avvenimenti della Rivoluzione Napoletana contro la propria volontà, subendo le vendette di Ferdinando IV al suo rientro nella Capitale dopo la fuga a Palermo. Nel 1806, intanto, la confisca da parte delle autorità di occupazione francese e la dispersione del patrimonio d'arte della Certosa comprendente, tra l'altro, la originaria "Quadreria" già esposta in antico nel "Quarto del Priore" ed in altri ambienti – in questa data sarà da annoverare anche la distruzione e la dispersione del corredo ceramico della farmacia, tra i più importanti di Napoli – e l'allontanamento della comunità monastica segnarono la fine del complesso.

Il 22 giugno 1866 la Certosa di San Martino, inclusa fra i beni ecclesiastici soppressi, passò al Demanio dello Stato; con la legge del 7 luglio 1866, art. 33, fu dichiarata "Monumento Nazionale". Per le premure di Giuseppe Fiorelli che ne avvertì l'eccezionale importanza, il complesso fu affidato in gestione al Ministero della Pubblica Istruzione, elevandolo a Museo tra i più antichi dello Stato Unitario di fresca fondazione, ed aperto al pubblico nel 1866.

Negli innumerevoli ambienti ormai deserti il Fiorelli volle allogare anche un Museo di "patrie memorie" nel quale fossero illustrate alle future generazioni le arti, le industrie e la storia dell'antica Capitale e del Regno meridionale, non potendo rinunciare, tra l'altro, almeno al ricordo di un primato perduto; sotto le spinte degli ideali

post-risorgimentali, delle esigenze di una didattica che insegnasse alle nuove generazioni un passato degno di rispetto e di emulazione, della riscoperta delle cosiddette "arti minori" o "applicate" o "industriali" in connessione alle rivalutazioni avviate dagli studi e dalle ricerche, applicate anche in campo industriale, da parte della cultura anglosassone, nonché nelle ricorrenti "Esposizioni Universali".

Giuseppe Fiorelli fu promotore instancabile di tutte le attività connesse alla tutela, conservazione, acquisizione e valorizzazione del patrimonio d'arte dello Stato; studioso, in particolare, di numismatica, partecipò attivamente al dibattito internazionale procurato dal rinnovato interesse, sia critico che pratico, per le "arti applicate" con mentalità storico-positivistica, riflesso più in generale di una «rivalutazione delle arti "minori" antiche non già in nome di un semplice interesse archeologico, per tornare a favorire la fuga nel passato, ma in nome di una battaglia per il presente, nel contesto di una concezione prammatica della storia» (Bologna); segnando al suo attivo, in particolare, nel periodo dal 1865 al 1874, in aggiunta alla mole degli studi e delle attività svolte in precedenza, l'«ordinamento del Museo, la compilazione e la stampa del catalogo, gli scavi di Pompei, le relazioni per le esposizioni universali di Parigi e di Vienna, lo studio per la riforma delle scuole di belle arti, la Presidenza degli educandati femminili, il Commissariato Regio della Biblioteca Brancacciana, la direzione del Collegio Asiatico, l'inchiesta per l'archivio di Stato, i Comitati per il monumento all'equipaggio della Palestro, per la tariffa delle acque del Sarno, per la esposizione internazionale marittima e per la conservazione dei monumenti municipali, la Vice presidenza del Consiglio provinciale, la valutazione della raccolta degli ori posseduta da Alessandro Castellani, quella del Museo Santangelo, acquistata dal Municipio e consegnata al nostro Museo, la fondazione del Museo di S. Martino» (Fiorelli) e, non ultimo, l'acquisto a dir poco storico della "Collezione Bonghi", nel 1872, legandola indissolubilmente al Museo sanmartiniano di fresca formazione.

Da un canto, avvertiva la matrice del fenomeno e le istanze che già avevano spinto alla istituzione, ad esempio, nel 1844, del Museo di Cluny di Parigi; nel 1852, del South Kensington Museum di Londra, nucleo originario del Museo Alberto e Vittoria; nel 1866, del Museo Carnavalet di Parigi; ed, infine, dell'Österreichisches Museum für Kunst und Industrie di Vienna, tra il 1872 ed il 1881. Un fenomeno ed istanze tesi a favorire, inoltre, ricerche sistematiche dei più vari settori specialistici in uno con l'impulso dato alle Esposizioni Universali "come luogo di confronto della produzione artigianale ed industriale di tutto il mondo". Dall'altro, per quanto attiene strettamente agli avvenimenti napoletani, anticipava le pur benemerite iniziative, collocabili nello stesso quadro storico, di Annibale Sacco il quale, nel 1873, con lodevoli intenti si impegnava a raccogliere nel Museo di Capodimonte tutte le porcellane ed i *biscuits* sparsi "tra regge e palazzi borbonici oramai deserti e trascurati"; di Gaetano Filangieri il quale, nel 1881, faceva dono del suo Museo alla Città di Napoli favorendo, nello stesso tempo, la istituzione del Museo Artistico-Industriale annesso all'Istituto d'Arte di Napoli, con decreto, del 14 ottobre 1880, a firma di Francesco De Santis Ministro della Pubblica Istruzione.

In fondo, al Fiorelli, fra le altre iniziative da lui intraprese, premeva costituire una "rete" museale *ante litteram*, incrementando le raccolte d'arte dei musei napoletani non solo per forza di confische, sistemandole con nuove metodologie così come era accaduto per gli oggetti rinvenuti nel corso degli scavi di Pompei; aprendo il Museo Archeologico Nazionale di Napoli e la "Pinacoteca" in questi allogata ad una più articolata fruizione, il Museo Nazionale di San Martino verso nuovi destini.

Opere d'arte tratte dai depositi del primo Museo e della stessa Certosa, altre date in consegna da Enti civili e militari, acquisti e, soprattutto, donazioni e legati, non pochi di straordinario interesse storico-artistico e documentario, dettero impulso alla formazione del nuovo museo nel quale, tuttavia, la sistemazione delle raccolte rimase in uno stato permanente di precarietà. La politica delle acquisizioni instaurata dal Fiorelli ebbe notevole incremento per merito dello Spinazzola, senza cedimenti negli anni a venire.

Il Municipio di Napoli, sollecitato dal grande archeologo e partecipe del suo non grande ma nobile disegno, si segnalò agli inizi con vari depositi, in presenza anche del fallimento del "Museo Civico" allogato in alcuni locali del monastero di Donnaregina, sancito, in particolare, dalle deliberazioni della Giunta del Consiglio Comunale (11/9/1890; 6/3/1891); quando si decise di assegnare «in deposito al Museo Nazionale i monumenti antichi di epoca classica provenienti dai lavori di risanamento della città» e «al Museo di S. Martino i monumenti medioevali e moderni che per risultanze di opere edilizie, o per altra ragione sarebbero spettati in proprietà al Municipio» (Colonna di Stigliano).

Nel 1875 era esposto nel locale della "Farmacia" certosina un primo nucleo di "Oggetti Municipali": la "Carrozza degli Eletti della Città"; quattordici "Bandiere" delle "Ottine" di Napoli; le "Sedie del Decurionato" (Imparato). Nel 1888 venivano consegnati alcuni importanti dipinti storici di committenza municipale; due di Michele Foschini (*Carlo di Borbone invita Ferdinando IV bambino a sottoscrivere l'atto della sua rinuncia al Trono del Regno di Napoli e di Sicilia – Ferdinando IV bambino presta giuramento delle Grazie, Capitoli e Privilegi concessi alla Città di Napoli, ai Baroni e al Regno di Napoli e di Sicilia in presenza degli Eletti della Città di Napoli, dei Baroni e della Magistratura del Regno*); due di Antonio Joli (*Imbarco di Carlo di Borbone per la Spagna il 7 ottobre 1759 – Partenza di Carlo di Borbone per la Spagna il 7 ottobre 1759*); non trascurando alcune epigrafi, stemmi e sculture non meno importanti.

Contemporaneamente sono da registrare le rilevanti cessioni dal Museo Nazionale di Napoli su disposizioni del Fiorelli, con estrema avvedutezza e lungimiranza, senza interruzioni: cimeli, "arti minori", dipinti; ad integrazione degli "Oggetti Municipali", dei primi doni, dei primi acquisti. Tra gli esemplari consegnati nel 1872 meritano una citazione particolare: due dipinti attribuibili a Tommaso Ruiz, raffiguranti *Carlo di Borbone si reca in corteo alla festa di Piedigrotta, con nel fondo il golfo di Napoli;* il *Ritratto di Padre Rocco*, a mezzo busto, di terracotta, autografo di Giuseppe Sanmartino; il monumentale gruppo, di *biscuit*, della Real Fabbrica della Porcellana di Napoli, raffigurante *Ercole libera Deianira dal centauro Nesso*, autografo tra i più importanti di Filippo Tagliolini; la presunta "Testa di Masaniello". Nel 1873 sarà la volta di due noti dipinti storici di Odoardo Fischetti, eseguiti nel 1811 per il Palazzo Reale di Caserta, raffiguranti *L'attacco delle truppe di*

Gioacchino Murat all'isola di Capri difesa dagli inglesi, seguendo le operazioni da Massalubrense e *La conquista di Capri*.

Nel 1879 brilla un nucleo di ceramiche rarissime, di arte napoletana, del secolo XVII; seguito nel 1882 dalle singolari "Mattonelle" provenienti dal monastero di Donnaregina.

Negli anni 1878-1880, 1888-1889, 1893, venivano consegnati i nuclei del futuro *corpus* epigrafico e araldico, già depositati nell'ex convento di Santa Teresa agli Studi (Salazar).

Una linea che non cambierà negli anni a venire, anche se con ritmo meno costante, fino a raggiungere un'ultima strepitosa cessione, nel 1948, in presenza della statuina di *Carlo di Borbone*, "bozzetto" di argento eseguito a cera persa, di Jean-Jacques Caffieri, per la grande statua di bronzo innalzata nel Teatro Marittimo di Messina, nel 1757 (Fittipaldi); un *unicum* del patrimonio artistico nazionale.

Su richiesta dell'instancabile Fiorelli, nel 1872, l'Ufficio Topografico Militare di Napoli e, per esso, il Ministero della Guerra, donava un gruppo di "figurini de' costumi dell'antico Esercito Napoletano" e dieci "Modelli delle Piazzeforti del Regno", di singolare interesse storico-documentario.

Nel 1874 il Ministero della Real Marina aderiva all'invito di consegnare il superbo esemplare della "Lancia a 24 remi di Carlo di Borbone"; seguito nel 1898 dal "Caicco donato dal Sultano Selim III a Ferdinando IV", sui quali farà perno la futura "Sezione Navale".

In parallelo, Bonghi (acq. 1872), Giustiniani (acq. 1879), Del Vecchio (legato 1895), Vandenheuvel (legato 1900), Tesorone (acq. 1909), legavano i loro nomi a collezioni singolari di "arti minori" – in anni recenti si sarebbe segnalata quella "Orilia" (dono 1953) – Nunzio e Beniamino Rotondo (dono 1910) ad una collezione distinta da esemplari cardini della storia della pittura e della scultura dell'Ottocento non solo napoletano; Michele Cuciniello al "Presepe napoletano omonimo" (dono 1879): in anni recenti sarebbe risultata fondamentale per la storia del *Presepe* napoletano dell'età ferdinandea e murattiana la collezione Perrone (dono 1970).

Savarese (dono 1900), Ruffo (dono 1909), Ricciardi (dono 1922, 1925, 1928, 1934, 1936) legarono i loro nomi a collezioni singolari di "cimeli storici", armi, "arti minori", dipinti, sculture, mobili, ecc.; Ferrara Dentice (dono 1929), invece, ad uno dei più cospicui e rilevanti *corpus* statali di disegni ed incisioni.

Nel 1875, col sostegno ineludibile della "Guida" di Francesco Imparato, i primi nuclei di oggetti, fra i quali prevalenti erano quelli provenienti dalla "collezione Bonghi" (ceramiche, vetri, avori, coralli, pietre dure, porcellane, *biscuits*, serigrafie, *collages*, ricami, monetieri di ebano ed avorio, ecc.) risultano distribuiti nelle seguenti "Sale" a completamento del percorso museale incentrato sulla Chiesa ed ambienti annessi, sui Chiostri e su qualche altro non meno importante locale dell'antico complesso certosino: "Sale" "delle piante Topografiche", "dei Biscuit", "delle Majoliche di Abbruzzo", "dei Vetri", "degli Specchi", della "Collezione di arazzi", "delle piante plastiche", degli "Oggetti Municipali".

Nel 1897, col sostegno non meno fondamentale della "Guida" di Achille Migliozzi, già è possibile rilevare vari cambiamenti; i primi di una lunga serie di trasformazioni e riassetti procurati da nuove acquisizioni e diverse esigenze, sempre negli stessi perimetri con l'aggiunta, nel frattempo, di alcuni ambienti già parte della "Cucina" della Certosa.

Si segnalano, dunque, le presenze delle: "Sale" "delle Pietre Dure", "del Bernini", "di Costumi militari", "de' Quadri di genere", degli "Arazzi", dei "Vetri Veneziani", "degli Specchi", "dei Pesi e Misure", dei "Ricordi Storici", delle "Porcellane figurate", delle "Maioliche", "dei Ritratti"; inoltre, di un "Salone a pianterreno" nel quale erano "disposti in bell'ordine Stemmi, Sarcofagi, bassorilievi, calchi in gesso ecc.", di una "Sala de' Disegni", di una "Sala detta delle Ottine" con due "saloni" attigui costruiti in questi anni, di una "Sala dei Modelli"; infine, della "sala" del "Presepe" realizzato nel 1879 in un ambiente, appunto, della suddetta "Cucina".

Con Felice Niccolini, con la collaborazione del fratello Fausto, architetto, a partire dagli anni Settanta fino al 1897, pur con pesanti limiti, incertezze e difficoltà, furono realizzati i primi allestimenti e trovarono un primo assetto le sezioni espositive embrionali del Museo di "patrie memorie"; queste ultime arricchite nel corso degli anni con nuove acquisizioni (non sempre esposte al pubblico, non sempre di prima grandezza).

Con Vittorio Spinazzola, dal 1898 al 1910, un nuovo poderoso riassetto procurerà ulteriori drastiche trasformazioni, adattamenti e la realizzazione di alcuni nuovi locali: per questi ultimi sarà incoraggiato dalle censurabili scelte effettuate in anni precedenti dal Niccolini; sotto le spinte di un patrimonio d'arte accresciuto notevolmente grazie a nuove donazioni, depositi ed acquisti, sollecitati da una attiva politica dello stesso Spinazzola teso a dare anche una prima parvenza di sistemazione museale delle raccolte e di quella parte del complesso certosino che in quegli anni e, sostanzialmente, fino ai nostri giorni, si ritenne di allestire ed offrire alla pubblica fruizione; in prosecuzione di una linea di interventi modificatori della insigne fabbrica, insensibile a qualsiasi rispetto delle originarie morfologie e delle stratificazioni storiche, che sfocerà purtroppo in autentiche devastazioni anche in anni successivi.

Con lodevoli intenti lo Spinazzola si sforzò di «1°. Trarre dai depositi quanto aveva pregio artistico e storico e vi restava chiuso; 2°. indirizzar gli acquisti – quei pochi possibili – a scopi chiari e ben definiti; 3°. eccitare ai doni i generosi richiamando su questo Museo con l'operosità e i chiari propositi l'attenzione cittadina» (Spinazzola); pur se i risultati, in gran parte, ad un'attenta valutazione critica, sembrano tradire le aspettative poiché non poche furono le acquisizioni scadenti accanto ad altre, invece, esaltanti; dannosi gli interventi di adattamento e trasformazione della Fabbrica; pittoresco l'allestimento generale in funzione di un ordinamento non sempre calibrato ed affatto attento ai problemi della conservazione di innumerevoli delicatissimi esemplari; ispirato, in particolare, nel "settore storico" ad una smodata retorica risorgimentale.

Nel 1901, dunque, l'ordinamento generale divideva il Museo sanmartiniano «in sei grandi sezioni o gruppi: I. Marmi. / II. Pinacoteca. / III. Curiosità d'arte plastica. / IV. Raccolta della Certosa. / V. Arti applicate alle industrie. / VI. Raccolta storica» (Spinazzola); in aggiunta al percorso museale riguardante i già citati prestigiosi luoghi certosini. Ogni sezione comprendeva varie collezioni; la "Raccolta Storica", in particolare, era costituita da sei collezioni distribuite in dodici sale: «I. Ricordi storici / II. Storia del costume / III. Ritratti ed autografi / IV. Busti e statue / V. Collezione Savarese / VI. Disegni e topografia» (Spinazzola).

Intanto, il Niccolini, il Salazar, l'Avena, il Morelli, lo Spinazzola (e, successivamente, in modo saltuario altri responsabili del Museo), tesi al perseguimento di una didattica volta ad illustrare "la storia dell'arte meridionale dal IV al XV secolo", consentirono che nelle collezioni fossero inseriti calchi di gesso, riproduzioni acquarellate o ad olio, ingenerando negli anni a venire non poche confusioni; nella "Raccolta Storica", in aggiunta alle copie, furono inseriti anche cimeli di dubbia autenticità, per «avere come legame di tutte le collezioni e fine sempre presente la storia e la topografia di Napoli e del Regno»: per quest'ultima, in particolare, premevano intenti comuni in quegli anni alla fondazione dei musei risorgimentali; più in generale le raccolte e gli allestimenti erano spinti da libertà concesse, almeno in questi stessi anni, da un clima ancora acceso di retorica risorgimentale, in chiave di manifesta pedagogia politica e di costruzione di una identità meridionale (il culmine fu toccato dallo Spinazzola nella sala-sacrario dei "Martiri" della Rivoluzione napoletana del 1799 e nella "galleria" dei ritratti degli "uomini illustri"). I risultati più significativi e duraturi, tuttavia, pur nelle diverse applicazioni metodologiche, vanno individuati nel geniale allestimento del "Presepe Cuciniello" in un locale appositamente adattato della "Cucina" certosina, su progetto congiunto dello stesso Cuciniello, dell'architetto Fausto Niccolini e dello scenografo Luigi Garzi, nel 1879 – una sistemazione che va annoverata nella storia della museografia italiana del secolo XIX – ed in quell'embrione di "Museo della Certosa" ovvero "Raccolta della Certosa", secondo la terminologia dello Spinazzola, costituito con esemplari di originaria eredità certosina, pur se farraginoso, pur se collegato con settori espositivi disparati, ideato e realizzato con felice intuito dallo Spinazzola "nelle appropriate stanze priorali", nel 1901, ad integrazione dei capolavori d'arte e dei luoghi certosini oggetto di visita nel più volte citato percorso museale; inopinatamente soppresso in anni successivi, disperdendo finanche il nucleo di oggetti sommariamente raccolti dallo studioso. Le recenti ricerche condotte da chi scrive hanno teso a ricostruire il *corpus* dell'intero patrimonio d'arte certosino superstite, compresa la originaria "Quadreria"; a riallestire i sontuosi ambienti del "Quarto del Priore", finalmente restaurati – segno eclatante della storia del collezionismo napoletano del XVII e XVIII secolo; a recuperare l'intero complesso ad una totale fruizione museale, esaltando con attenti interventi di restauro e ripristino la Fabbrica, raddoppiando le sezioni espositive; a potenziare tutte le raccolte, individuando più organiche rispondenze in presenza di innumerevoli ambienti riscattati da antichi abbandoni e da possibilità espositive sorprendenti.

L'impostazione distributiva delle raccolte ed il percorso espositivo stabiliti dallo Spinazzola lungo il piano terra, fin dal 1901, ad onta di vari avvicendamenti zonali, esodi e depauperamenti costanti del patrimonio d'arte nel corso degli anni, alcune acquisizioni successive dell'"Ala del Noviziato" e dell'"Ala est", rimase vincolante fino ai nostri giorni. Nonostante la notevole disponibilità di ambienti sgombri dislocati nei vari piani del complesso, fu perseguita a tutti i costi una contiguità settoriale in luogo di una continuità ideale e storico-culturale che avrebbe spinto al recupero integrale del monumento certosino per scopi strettamente istituzionali, museali-espositivi, ed alla possibilità di una totale fruizione del cospicuo patrimonio d'arte condannato, peraltro, all'oblio dei depositi.

Fra altri gravi motivi, questa condizione determinò l'insediamento di fittuari privati nel complesso, la spartizione di ampie zone, l'accumulo e il disordine permanente delle raccolte, infine uno stato assai precario del monumento bloccato per sempre nel suo sviluppo. Per altro verso, una denunzia è fino nel Molajoli anche se, in fondo, la sistemazione data alle raccolte ed alle sezioni espositive ed ulteriori interventi empirici sulla Fabbrica, nel 1947, non mutarono in nulla le situazioni ereditate dal passato: «Al graduale ingrandirsi, così delle raccolte, come dello spazio destinato alla loro esposizione, non presiedette però un indirizzo unitario. Il carattere eterogeneo del materiale; i vincoli imposti da quasi tutte le donazioni passivamente accettati; l'indiscriminato accoglimento dei doni di qualsiasi specie; la preferenza per la quantità a discapito della qualità; questi e molti altri fattori più genericamente imputabili all'immaturità dei criteri museografici dei tempi passati, contribuirono a fare del Museo di San Martino un esempio tipico di costituzionale disorganicità e di perenne disordine, da parere irrimediabile, nonostante ogni migliore intenzione

dei valentuomini che, dal benemerito Vittorio Spinazzola in poi, si succedettero nell'Ufficio di direzione.

E invero le cose non migliorano molto nemmeno quando, nei tempi più vicini a noi, i direttori si resero conto delle necessità di più razionali riordinamenti e si adoperarono ad attuarli, come e quando poterono» (Molajoli).

Dunque, le "Direzioni" "Morelli" (fino al 1933), "Sorrentino" (1934-1936) fino a quella "Doria" (1946-1965), non apporteranno alcuna modifica al programma dello Spinazzola, pur rinnovando l'ordinamento e l'allestimento, e per manifesti limiti metodologici e pure costrette dai drammatici eventi di un terremoto (1930) e di un conflitto mondiale (1940-1945); acuendo, anzi, gran parte degli equivoci storico-critici e dei limiti di eredità ottocentesca, penalizzando per sempre le "arti minori", la "Raccolta della Certosa", il *corpus* delle armi e degli esemplari inerenti alla "Raccolta militare", la "Raccolta teatrale", la "Raccolta presepiale", la stessa "Raccolta storica" ecc.; condizionamenti del gusto e scelte infelici, per quanto attiene alle prime ("arti minori"; "Raccolta della Certosa"), contribuirono anche alla dispersione degli esemplari presso altre sedi e ad una sostanziale sparizione dalle zone espositive.

Eppure, ad onta dell'affievolirsi degli ideali dello Stato post-Unitario e degli entusiasmi iniziali, dell'allontanamento dello Spinazzola (il quale, pur tra errori e improvidenze, contribuì in modo decisivo al rilancio del nostro Museo), di avvicendamenti, eventi infausti, adattamenti e scelte infelici – che alla lunga, in ogni caso, determinarono un inarrestabile declino dell'insigne Istituto, tra i più grandi della rete museale dello Stato (30.000 mq circa), pur se abilmente celato, fino a sfociare in una crisi di identità con tutti i problemi strutturali e funzionali connessi ed irrisolti, ai quali solo ora si tenta di porre definitivamente riparo tra enormi difficoltà, con chiara consapevolezza e con intenti filologici nel rispetto assoluto delle antiche strutture e delle stratificazioni storiche; risanando manomissioni ed orpelli, recuperando tutte le valenze già mortificate o, addirittura, obliterate, in funzione anche delle complesse esigenze di una moderna fruizione – è stato sempre vivo il rapporto della Città col Museo depositario della sua "memoria storica", rafforzato nel corso degli anni visibilmente non tanto da acquisti, peraltro rari, quanto da preponderanti donazio-

20 ni, generose, determinanti ai fini della costituzione delle stesse raccolte o di intere sezioni espositive: Savarese, Rotondo, Ruffo, Ricciardi, Ferrara Dentice, Perrone, Orilia, con i propri eclatanti patrimoni, tra gli altri benemeriti, fanno parte di quell'«eletto numero di persone amanti del pubblico bene che spontaneamente hanno portato il loro contributo all'accrescimento di queste collezioni e al maggior decoro di questo patrio Istituto». Le sorti del magnifico complesso certosino e del Museo sono quelle stesse della Città, tese ad una auspicabile rigenerazione pur tra laceranti contraddizioni.

Cosimo Fanzago
Pronao della chiesa della Certosa
1636-1639

Giovanni Antonio Dosio
e Cosimo Fanzago
Interno della chiesa
fine del XVI secolo - prima metà del
XVII secolo

Giovanni Lanfranco
Cristo in gloria
documentato al 1637-1639
affresco

Jusepe de Ribera
Noè
firmato e datato 1638
olio su tela; 271 x 254

Bonaventura Presti
Pavimento della chiesa, particolare
1664-1666
marmi commessi

Nicola Tagliacozzi Canale
e Giuseppe Sanmartino
Balaustra dell'altare maggiore,
particolare
1761
marmo di Carrara, breccia rossa di
Francia, corniola, diaspro, lapislazzulo
aurato di Persia, bronzo dorato

Giuseppe Sanmartino
Angelo reggifiaccola dell'altare
maggiore
documentato al 1768
cartapesta argentata; h. 158

Orazio de Orio e Giovanni Mazzuoli
Stalli del coro, particolare
documentati al 1629-1631
legno di noce

Leggio monumentale
fine del XVI secolo
radica di noce, legno di noce; h. 350,
diam. 160

Giovanni Battista Caracciolo detto
Battistello
La lavanda dei piedi
documentato al 1622
olio su tela; 400 x 400

Jusepe de Ribera
La comunione degli Apostoli
iniziato nel 1638 fu portato a
compimento nel 1651; il dipinto,
comunque, è firmato e datato al 1651
olio su tela; 400 x 400

Massimo Stanzione
Preparativi per l'Ultima Cena
documentato al 1639; firmato
olio su tela; 400 x 400

Guido Reni
Adorazione dei pastori
1641
olio su tela; 485 x 350

Cosimo Fanzago
Cappella di San Bruno
1631
I dipinti sono di Massimo Stanzione,
1630-1637; le sculture di Domenico
Antonio Vaccaro, documentate al
1707-1708.

32

Cosimo Fanzago
Cappella di San Bruno, particolare
1631
marmi commessi e pietre dure

Paolo Finoglia
Storie della vita di san Martino,
particolare della volta
1631 ca.
affreschi e stucchi dorati

Francesco Solimena
Il Cristo appare in sogno a san Martino
1732-1733 ca.
olio su tela; 315 x 210
Nella cappella di San Martino.

Giuseppe Sanmartino
La Carità
documentata al 1757
marmo; h. 188
Nella cappella di San Martino.

Giuseppe Sanmartino
Putti in atto di reggere una mitria
documentati al 1757
marmo; 215 x 112
Nella cappella di San Martino.

Domenico Antonio Vaccaro e Paolo
De Matteis
Cappella di San Giuseppe
1718-1719

Domenico Antonio Vaccaro
San Matteo
1720-1725 ca.
marmi intarsiati; 200 x 123
Nella cappella di San Gennaro.

Domenico Antonio Vaccaro
Cappella del Rosario
1720 ca.

Matteo Bottigliero
San Bruno
1725-1735 ca.
marmo; 250 x 120
Nella cappella di Sant'Ugo.

Francesco De Mura
Annunciazione
1757 ca.
olio su tela; 315 x 207
Nella cappella dell'Assunta.

Nunzio Ferraro, Giovanni Battista
Vigliante, Lorenzo Ducha e Teodoro
de Voghel
Armadi, particolare
documentati al 1587-1598
legni intarsiati
Nella sacrestia monumentale.

Nunzio Ferraro, Giovanni Battista
Vigliante, Lorenzo Ducha e Teodoro
de Voghel
Armadi, particolare
documentati al 1587-1598
legni intarsiati
Nella sacrestia monumentale.

44

Giuseppe Cesari detto il Cavalier
d'Arpino
*Crocifisso con la Vergine, la
Maddalena e san Giovanni
Evangelista*
documentato al 1591
olio su tela; 375 x 253
Nella sacrestia monumentale.

Luca Giordano
*Chiamata degli Apostoli Pietro e
Andrea*
1656 ca.
olio su tela; 159 x 124
Nel vestibolo della cappella del Tesoro.

Cappella del Tesoro
Interno con gli stipi contenenti i
Reliquiari di ebano e bronzo dorato, di
Gennaro Monte, del 1691; la *Pietà* di
Jusepe de Ribera, del 1637; gli affreschi
di Luca Giordano, del 1704.

Jusepe de Ribera
Pietà
firmato e datato 1637
olio su tela; 264 x 170
Nella cappella del Tesoro.

Luca Giordano
Il trionfo di Giuditta
documentato al 1704
affresco
Nella volta della cappella del Tesoro.

Simon Vouet
La Vergine col Bambino consegna la
Regola a san Bruno
firmato e datato 1626
olio su tela; 254 x 165
Nella sala Capitolare.

Paolo Finoglia
San Romualdo
1626-1631 ca.
olio su tela; 120 x 200
Nella sala Capitolare.

Coro dei Conversi
Interno con gli *Stalli del Coro* di Giovan
Francesco d'Arezzo e frate Prospero, del
1520 ca.; il *Lavabo* di Cosimo Fanzago,
documetato al 1631; gli affreschi di
Domenico Gargiulo, databili tra il 1638
e il 1640

52

Giovan Francesco d'Arezzo e frate
Prospero
Stalli, particolare
1520 ca.
legni intarsiati
Nel coro dei Conversi.

Cappella della Maddalena
Interno col dipinto raffigurante la
Santa, di Andrea Vaccaro, documentato
al 1636, e le decorazioni ad affresco di
Giovan Battista Natali, della prima metà
del XVIII secolo.

Giovanni Antonio Dosio
Puteale
fine del XVI secolo
marmo
Nel Chiostro grande.

Cosimo Fanzago
Porte angolari del Chiostro grande
con busti di Sant'Ugo e del Beato
Nicola Albergati
al 1631 è documentato il saldo delle
sette *Porte* compiute e messe in opera;
al 1631-1656 il saldo di cinque *Busti*
compiuti e messi in opera.
marmo

Cosimo Fanzago
Cimitero dei Monaci
documentato al 1631
marmo
Nel Chiostro grande.

Giovanni Antonio Dosio
Chiostro dei Procuratori
XVI-XVII secolo
marmo, piperno

Paolo de Matteis
San Bruno intercede presso la Vergine
per l'umanità sofferente
firmato e datato 1699
affresco
Nella volta della Farmacia.

Il "Quarto del Priore"

Nella "Guida" della città di Napoli del Sarnelli (1685) è ricordato, per la prima volta, il "Quarto del Priore" nella Certosa di San Martino; incomparabile per la posizione panoramica, la bellezza degli ambienti, la profusione degli scelti ornamenti, la ricchezza del patrimonio d'arte esposto.

Le "Guide" del Celano (1692), del Parrino (1725), del Sigismondo (1789), ribadiscono le descrizioni ed i pregi; quella del Tufari (1854), rivolta specificamente alla Certosa napoletana, fornisce addirittura una pianta dettagliata, illustrando le innumerevoli decorazioni degli stessi ambienti, accennando, inoltre, alla originaria "collezione" d'arte quivi custodita in antico e alla dislocazione di alcuni dipinti e di alcune sculture ancora presenti in loco ai suoi giorni.

Giudizi lusinghieri espressero illustri viaggiatori stranieri che nella tappa d'obbligo del "Grand Tour" includevano una visita alla Certosa ed al "Quarto": dal Mabillon (1685) al Misson (1688), dal de Brosses (1739) al Salmon (1761) – quest'ultimo paragonò il "Quarto" a una dimora degna di un principe – dal Saint-Non (1761) al Fragonard, allo spagnolo Leandro Fernandez de Moratin (1794).

La confisca del patrimonio d'arte della Certosa, comprendente in gran parte l'originaria "Quadreria" esposta nel "Quarto", effettuata dalle autorità francesi nel 1806; la sua dispersione avvenuta nel corso degli anni successivi; la soppressione della Certosa avvenuta nel 1860, determinarono la fine della sontuosa dimora.

Nei primi anni del Novecento Vittorio Spinazzola, rintracciando nei depositi uno sparuto nucleo di opere d'arte superstiti appartenenti alla Certosa, riguardanti soprattutto "arti minori", tentò una sistemazione in alcune sale già parte integrante del "Quarto", costituendo una esposizione peculiare ed autonoma nel più vasto contesto delle sezioni allestite nel Museo Nazionale di San Martino allogato negli ambienti ormai deserti dell'antico complesso monastico. Dopo pochi anni la esposizione fu soppressa e gli oggetti dispersi.

In tempi recenti, un'attenta ricerca globale (Fittipaldi 1984; 1988) ha consentito di recuperare non solo il nucleo storico degli ambienti ma anche e, soprattutto, di ricostituire in gran parte il patrimonio artistico dei monaci (ad eccezione di varie opere disperse per sempre) presente un tempo, in particolare, nello stesso "Quarto".

Il ripristino della nobile dimora – realizzata nel XVII secolo; ristrutturata con l'aggiunta di nuove ornamentazioni nel secolo XVIII – il riordinamento delle collezioni ed il loro allestimento secondo un rigoroso svolgimento storico-cronologico, pur con qualche lieve deroga imposta da esigenze espositive, prescindendo da impossibili ricostruzioni storiche, impongono all'attenzione del pubblico e degli studiosi, da un canto, una lettura finalmente adeguata della morfologia e dei valori architettonico-ambientali del complesso; dall'altro, una collezione comprendente dipinti, sculture, "arti minori", di singolare interesse storico-artistico e documentario, lungo un arco amplissimo di tempo: dal Quattrocento all'Ottocento; testimonianze di una temperie culturale altissima, procurata, tra l'altro, dalla intelligenza della committenza certosina, al passo con i cambiamenti del gusto. La ricollocazione delle opere negli ambienti dai quali, in gran parte, in antico furono tolte, potrà ristabilire, infine, storici rapporti e mirabili equilibri, già infranti, all'interno dell'intero *corpus* del patrimonio d'arte attualmente presente nella Certosa.

Dipinti di Jean Bourdichon, Giuseppe e Bernardino Cesari, Andrea Lilio, Belisario Corenzio, Battistello Caracciolo, Jusepe de Ribera, Massimo Stanzione, Andrea Vaccaro, Pacecco de Rosa, Domenico Gargiulo, Francesco Guarino, Luca Giordano, Paolo de Matteis, Francesco Solimena, Domenico Antonio Vaccaro, Jacopo Cestaro, Giacinto Diano, Vincente Palmaroli, Franz Vervloet; sculture di Pietro Bernini, Cosimo Fanzago, Nicola Fumo; mobili, ceramiche, ricami, intarsi, antifonari, parati, trovano felice collocazione nei pregevoli ambienti. Tra questi si segnalano: lo "Studiolo del Priore", la "Cappella del Priore", la "Prima e Seconda Galleria", il "Passetto coperto", l'"Oratorio privato del Priore", il "Vestibolo della Biblioteca", la "Biblioteca" (cosiddetta "Sala della Meridiana").

Nella volta dello "Studiolo" spiccano affreschi decorativi di gusto barocchetto, databili alla fine del XVII secolo. Nel "Passetto", via di accesso al panoramico e scenografico "Giardino pensile del Priore" – in quest'ultimo brilla la "Scala a calicò e tenaglia" tra i capolavori del Fanzago scultore-architetto – e nelle due "Gallerie" notevoli sono gli affreschi eseguiti da Domenico Gargiulo, detto

Micco Spadaro, databili tra il 1638-1644, da annoverare tra le espressioni maggiori della pittura paesaggistica napoletana del Seicento e dell'intera attività artistica del Maestro impegnato con la committenza certosina per gran parte della sua vita.

Fiumi, rive, marine, alberi fronzuti, figurine spiritate animano paesaggi pittoreschi proiettati su cieli azzurri e luminosi appena segnati da nuvole trasparenti e fioccose, nei quali sono manifesti la sintesi ed il superamento delle esperienze paesaggistiche di Filippo Napoletano, del Tassi, del Brill, con aperture più specifiche verso le correnti europee, nordica e francese, dal Poelemburg allo Swanevelt, al Doughet. Interpretazioni in chiave lirica del sentimento panico del paesaggio "puro", di là da venire a Napoli. Spicca, tuttavia, un meraviglioso brano affrescato raffigurante un *Pergolato poggiante su strutture marmoree* (Sala 16, recentemente scoperto a seguito di interventi di restauro), testimonianza della originaria decorazione al cui progetto non fu estranea la prepotente personalità del Fanzago.

Il "Vestibolo" e la "Biblioteca", a motivo della veste decorativa, sono da annoverare fra le espressioni maggiori del Settecento napoletano e da ritenere ambienti di notevole rappresentanza nel contesto delle sale espositive dell'intero complesso certosino; tinte di forti accenti mondani.

Allegorie sacre e cineserie, impreziosite da decorazioni plastiche dorate, affrescate nelle volte, sono da attribuire a Crescenzo Gamba e databili al 1741, anno segnato nel pavimento a graticcio, presente nel "Vestibolo", eseguito con riggiole maiolicate da Giuseppe Massa tra i più famosi maestri napoletani dell'epoca. Le *cineserie*, in particolare, costituiscono un raro esempio a Napoli ed in anticipo sulla stupenda realizzazione del "Salottino di porcellana" della regina Maria Amalia di Sassonia, eseguito, come noto, dalla Fabbrica di Capodimonte, documentato al 1757-1759, già nella Reggia di Portici ed attualmente nel Museo di Capodimonte. Nella "Biblioteca", in aggiunta agli affreschi, va segnalato il *pavimento* decorato con una *Meridiana*, eseguito pure con riggiole maiolicate, datato al 1771, da ritenere un *unicum* del patrimonio storico-artistico napoletano del Settecento. È da attribuire a Leonardo Chiaiese, altro famoso ceramista napoletano.

Alla fastosa decorazione degli ambienti concorrono anche gli infissi sia di legno laccato e dorato, con specchiature raffiguranti fiori policromi racchiusi in cornici dorate, sia di radica di noce con specchiature sagomate.

Infine, merita una citazione particolare la monumentale esedra creata da Nicola Tagliacozzi Canale nella prima metà del XVIII secolo, nel "Cortile interno del Quarto", atta a presentare il marmoreo gruppo raffigurante la *Vergine col Bambino e san Giovannino*, di Pietro Bernini, databile al XVI-XVII secolo (l'originale è in Sala 8; nella nicchia sarà collocato un calco); già spostato in anni remoti e recentemente riproposto nel suo storico allestimento (Fittipaldi 1984). La raccolta intimità dell'ambiente è esaltata dal gusto scenografico del Tagliacozzi Canale, denso di profonde suggestioni.

Jean Bourdichon
Trittico con la Vergine col Bambino
ed i Santi Giovanni Battista e
Giovanni Evangelista; nelle centine:
Crocifissione e i Santi Michele
Arcangelo e Giorgio
1494 ca.
tempera su tavola; 114 x 74, laterali
114 x 32 ognuno
D.R. 321-322

Quarto del Priore
Già nella Quadreria del "Quarto del
Priore"; unico dipinto da cavalletto
ritenuto dalla critica sicuro autografo
del Maestro, noto quale miniaturista
«peintre du roi et valet de chambre»
di Carlo VIII.
D.R. 321-322

62

Pietro Bernini
La Vergine col Bambino e san Giovannino
fine del XVI secolo
marmo; h. 243
Già nel cortile interno del "Quarto del Priore", il gruppo fu sistemato in una *nicchia* progettata da Nicola Tagliacozzi Canale nella prima metà del XVIII secolo. La *base*, di marmo di Carrara e di marmo bardiglio imperiale, è stata eseguita su disegno di Cosimo Fanzago, databile tra il 1631 ed il 1656. Nel moderno allestimento del "Quarto del Priore" occupa un posto di rilievo nella Sala 8.

63

Cosimo Fanzago e Biase Monte
San Bruno
documentato al 1638
bronzo argentato e dorato a mistura a
freddo; 98 x 87 x 75 (escluso aureola)
inv. 189

Jusepe de Ribera
San Sebastiano
firmato e datato 1651
olio su tela; 125 x 100
D. R. 360

Francesco Guarino (?)
Sant'Agata
prima metà del XVII secolo
olio su tela; 88 x 72
D. R. 365

Domenico Gargiulo
Martirio di San Sebastiano
olio su tela; 131 x 185
D. R. 400

Frontespizio di antifonario
1541 ca.
miniatura su pergamena
inv. 277

68

La sezione storica

La raccolta dei "Ricordi Storici" del regno di Napoli, nucleo tra i più importanti del Museo Nazionale di San Martino, annovera innumerevoli e preziose testimonianze della storia politica, economica e sociale del Regno, dal periodo aragonese sino al declino della dinastia borbonica, attraverso dipinti, sculture, arredi, medaglie, monete, onorificenze, armi e cimeli vari.

Negli anni a cavallo tra Ottocento e Novecento si ebbe una prima sistemazione grazie ad un'oculata politica delle acquisizioni tesa a conferire omogeneità e completezza ad un discreto gruppo di opere di varia provenienza, presente nel museo sin dai tempi del Fiorelli ed avente come filo conduttore il riferimento alla storia cittadina. Gli acquisti furono indirizzati, pertanto, al completamento di alcune raccolte specifiche, per colmare quelle lacune che interrompevano l'ordine cronologico, fondamentale per un museo di interesse storico; la consistenza e l'organicità acquisita fu d'incitamento alle nuove donazioni. Nel 1901 il museo si accrebbe della preziosa raccolta di carattere militarista donata dal barone Roberto Alfonso Savarese in memoria del padre Giacomo. La singolare collezione comprende circa 1185 pezzi fra armi bianche e da fuoco, ogni sorta di finimento militare, strumenti musicali da banda, modelli di costumi militari, bandiere, ricordi di avvenimenti patriottici, nonché stampe, autografi, busti e quadri storici. Tra questi ultimi si segnalano: il *Ritratto del Ministro Giuseppe Zurlo*, pastello di Costanzo Angelini, ed il *Ritratto di un giovane Ufficiale in uniforme della Repubblica Napoletana*, ad olio su tela, d'autore ignoto.

Grazie alla munificenza del principe don Fabrizio Motta Bagnara, della nobile famiglia dei Ruffo di Bagnara, nel 1910 furono acquisite 123 opere riguardanti la storia della casata suddetta, alla quale appartenne anche il celebre cardinale Fabrizio.

Nel 1920 al museo pervenne l'insigne raccolta Ricciardi, costituita da circa 1500 cimeli, tutti legati alla dominazione borbonica nel Mezzogiorno d'Italia, collezionati con competenza da fine intenditore dal barone napoletano Edoardo Ricciardi. La collezione comprende un gran numero di monete (oro, argento, rame e di tutti i tipi di conio), così da offrire il panorama completo della monetazione del regno delle Due Sicilie, e di medaglie, commemorative, militari e di premio, con alcuni esem-

plari di singolare valore storico-documentario, come il modello in cera per la medaglia commemorativa coniata dall'Hamerani nel 1752 per la posa della prima pietra della Reggia di Caserta.

Nella stessa raccolta figurano, inoltre: le decorazioni di tutti i gradi di sei Ordini Cavallereschi napoletani (Ordine Costantiniano, Ordine di San Gennaro, Ordine di San Ferdinando, Ordine delle Due Sicilie, Ordine di San Giorgio della Riunione, Ordine di Francesco I); miniature raffiguranti ritratti di sovrani e principi della dinastia borbonica, dei Napoleonidi e di personaggi illustri della storia del regno delle Due Sicilie; porcellane, maioliche, stampe iconografiche e di avvenimenti storici; lavori in lava ed in conchiglia, tabacchiere, libri rari, (alcuni dei quali con preziose legature) ed altri piccoli cimeli che illustrano la vita e le usanze dell'epoca.

Nel quinto e sesto decennio del nostro secolo altre piccole donazioni, sporadici acquisti e depositi da altri Enti si aggiunsero al nucleo preesistente costituendo ai giorni nostri una cospicua raccolta in grado di illustrare, in modo piuttosto esauriente, l'evolversi delle vicende storiche dal XVI secolo fino all'Unità d'Italia.

Il viceregno Spagnolo a Napoli è documentato dai rari ritratti di *Carlo V*, busto in marmo del Montorsoli, e di *Don Pedro de Toledo*, tela d'ignoto databile a cavallo tra il XVI ed il XVII secolo. La narrazione dei due eventi più importanti del tempo, la *Rivolta di Masaniello del 1647* e l'*Epidemia di peste che colpì la città nel 1656*, si deve alla vivace ed espressionistica pennellata di Domenico Gargiulo.

Un interessante spaccato di vita quotidiana del XVII secolo è fornito dal dipinto attribuibile a Carlo Coppola, raffigurante il *Tribunale della Vicaria*.

Ricca è la documentazione iconografica del Regno borbonico da Carlo a Francesco II (1734-1860). Singolare è il ritratto di *Carlo di Borbone a figura intera*, modello in argento, eseguito su commissione reale nel 1754 da Jean Jacques Caffieri, per il monumento messinese al re Carlo.

È da ricordare, inoltre, un *Ritratto del sovrano in età giovanile*, cui fa "pendant" quello della consorte *Maria Amalia Valpurga di Sassonia*, riferibili a Giuseppe Bonito. L'addio di Carlo al Regno nel 1759 è celebrato dalle due tele di Antonio Joli raffiguranti rispettivamente: l'*Imbarco dei Reali visto dalla darsena* e la *Partenza della squadra navale dal porto, vista dal mare*.

La rinuncia di Carlo al trono del Regno di Napoli e Sicilia ed il giuramento di Ferdinando IV dinanzi alla Magistratura del Regno forniscono lo spunto al pittore sannita Michele Foschini per offrire due bei saggi di pittura d'ambiente, ove figurano anche ritratti "di forte evidenza" dei notabili della città e dei personaggi più influenti della corte, come il ministro Bernardo Tanucci. Di quest'ultimo il museo conserva una delle più interessanti raccolte iconografiche, basti ricordare la famosa, pungente *caricatura in porcellana*, e l'incisione di Bernardo Rullo che raffigura il *Primo Ministro Tanucci a figura intera*.

Panorami di Napoli nel secolo decimottavo si devono al pennello di Gaspar van Wittel, Carlo Bonavia e del già citato Joli.

Immagini della vita di corte, riguardanti sia l'aspetto ufficiale che quello edonistico, del regno di Ferdinando IV le ritroviamo in altre tele di Joli, mentre Pietro Fabris ritrae piacevoli brani di vita popolare. Rilevanti esempi della ritrattistica degli ultimi anni del XVIII secolo sono: il *Ritratto a figura intera di Marzio Mastrilli, marchese di Gallo*, olio su tela di Füger, e le due opere di Costanzo Angelini raffiguranti rispettivamente *Filippo Tagliolini*, capo modellatore della Real Fabbrica della Porcellana di Napoli ed il Direttore della stessa, il *Marchese Domenico Venuti* (acquerello su carta), uomo di straordinaria cultura, amico di Goethe e Canova.

Importanti testimonianze figurative riguardano, inoltre, la Repubblica Partenopea del 1799. Tra il 1898 ed il 1901, sull'onda delle "Celebrazioni per il Centenario della Repubblica del '99", furono acquisiti dal museo, tra l'altro: la preziosa *Memoria degli Avvenimenti popolari seguiti in Napoli in gennaio 1799*, esemplare a stampa, unico, di una cronaca di parte repubblicana, illustrata con nove acquerelli da un ignoto artista, testimone oculare dei fatti; un *Ritratto di Mario Pagano* a mezzo busto, in terracotta, dello scultore Achille d'Orsi ed i ritratti, di autori ignoti, di alcuni "Martiri" come, *Ugo Mastelloni* (pastello su carta), *Cristina Chiarizia* (olio su tela) e *Carlo Muscari* (olio su tela).

Un cenno a parte merita la "tabacchiera" (tartaruga) col *Ritratto del Medico napoletano Domenico Cirillo* – raffinata miniatura su avorio – da lui stesso data in ricordo a Vincenzo De Renzis, suo allievo e suocero del donatore Giuseppe del Giudice.

Si sottolineano, inoltre: l'intenso *Ritratto di Domenico Cirillo* (olio su tela) eseguito da Angelica Kauffmann ed i quattro rilievi in terracotta di Tito Angelini raffiguranti rispettivamente *Le esecuzioni di Domenico Cirillo, Mario Pagano, Ignazio Ciaia e Giorgio Pigliacelli*.

Della collezione Ruffo, di cui si è fatto già cenno, sono da ricordare – oltre ad alcuni cimeli del cardinale Fabrizio, condottiero delle "bande Sanfediste", massima espressione del moto reazionario che soffocò la Repubblica del '99 (*bandiera della Santa Fede, cappello e paramenti cardinalizi, maschera mortuaria in gesso*) –: mobili, gioielli (fra cui un prezioso *Crocifisso in oro e corallo ed un topazio* di notevoli dimensioni) e decorazioni cavalleresche.

Nella raccolta emergono alcuni dipinti, di buona qualità, che ritraggono personaggi della nobile casata, come il grande quadro di Eduardo Dubufe con il *Principe di Sant'Antimo, Vincenzo Ruffo circondato dai suoi figli* ed il bellissimo ritratto della *Principessa Sarah Strakan*, di Francesco Hayez.

Opere sia di interesse storico-documentario che artistico illustrano il "Decennio Francese" (1805-15).

Discussa è l'autenticità di una *mantellina di velluto* e di una *scimitarra turca*; la prima, per tradizione, si ritiene indossata da Murat, mentre la seconda sembra sottratta da Murat a Mustafà Pascià nella battaglia di Abukir.

Un documento eccezionale è il *Collare dell'Ordine delle Due Sicilie*, unico esemplare superstite di questa decorazione cavalleresca, istituita da Giuseppe Bonaparte e poi modificata da Murat.

Uno dei più famosi episodi bellici del periodo murattiano, *La presa di Capri ad opera dei Francesi (ottobre 1808)*, è illustrato in due grandi tele di Odoardo Fischetti.

Ampiamente documentati sono anche gli anni del regno di Ferdinando I (1815-1825) – si conserva tra l'altro la maschera in cera del sovrano defunto –, con la parentesi rivoluzionaria del Venti; il breve e tranquillo regno di Francesco I (1825-30), quello più lungo e ricco di avvenimenti di Ferdinando II (1830-59), per finire con Francesco II (1858-60).

Oltre ai ritratti celebrativi dei sovrani, vanno menzionate alcune tele raffiguranti uomini illustri della vita politica e culturale di quei decenni: il *Ritratto del Ministro Antonio Statella, conte del Cassero* (olio su tela) il *Ritratto dell'Astronomo Giuseppe Piazzi* e quello del *Generale Lucio Caracciolo di Roccaromana*, dipinto da Gaetano Forte. A testimonianza dei fatti più salienti della vita religiosa, culturale e sociale di questi anni, ricorderemo: i cimeli legati alla *Venuta di Pio IX a Napoli* (1849), i ricordi della *Regina "Santa" Maria Cristina di Savoia* ed un interessante dipinto di Salvatore Fergola raffigurante la *Sala Tarsia con l'esposizione di Arti e Mestieri per la Mostra Industriale Napoletana del 1853.*

Il museo vanta, infine, un'importante raccolta iconografica sugli uomini e sugli avvenimenti del Risorgimento napoletano (1848-60), da *Carlo Poerio* a *Silvio Spaventa*, da *Raffaele Conforti* a *Luigi Settembrini,* da *Vittorio* e *Matteo Imbriani,* ai generali *Ulloa* e *Cosenz* (ritratti in miniatura dal Piccio), da *Guglielmo Pepe* a *Nicola Nisco* ed altri, nonché i cimeli della cosiddetta "Spedizione di Sapri" dei fratelli Pisacane, donati da Rosa Morici Dragone.

Giovanni Angelo Montorsoli
Ritratto di Carlo V
secondo quarto del XVI secolo
marmo; h. 63
inv. Pinacoteca 10824; Dep. 431

72

Ritratto del viceré don Pedro de Toledo
XVI-XVII secolo
olio su tela; 66x80
prov.: cessione 1920
inv. 13953
Il dipinto, probabilmente, è copia da un
originale più antico.

Didier Barra
Veduta a volo d'uccello della città di
Napoli
firmato e datato 1647
olio su tela; 69x129
inv. 3506
prov.: Napoli, Museo Nazionale (1884)

Domenico Gargiulo detto Micco Spadaro
La rivolta di Masaniello del 1647
prima metà XVII secolo
olio su tela; 126x177
prov.: deposito Pinacoteca Nazionale
inv. 342
Teatro dell'affollata scena è la piazza del Carmine ove, oltre alla omonima chiesa con la cappella di re Corradino, è raffigurata, al centro, un'epigrafe, (eretta in parte ed in seguito distrutta) commissionata da Masaniello a Cosimo Fanzago, allo scopo d'incidervi le concessioni del viceré Duca d'Arcos. Il Capopopolo figura due volte: nel fondo su di un podio, mentre arringa la folla ed in primo piano, a cavallo, circondato dai suoi fedeli.

Domenico Gargiulo detto Micco
Spadaro
*La piazza del Mercatello a Napoli
durante la peste del 1656*
seconda metà XVII secolo
olio su tela; 126x177
siglato «D. G.»
prov.: deposito Pinacoteca Nazionale
inv. 341

L'episodio è rappresentato dall'artista,
con toni lividi ed in tutta la sua
drammaticità, in un famoso luogo di
Napoli: l'attuale piazza Dante. Sulla
sinistra sono riconoscibili: Port'Alba e la
cupola della chiesa di San Sebastiano
(crollata nel 1939); a destra, la Porta
dello Spirito Santo, in seguito demolita.

Onofrio Palumbo (attr.)
Presunto ritratto di Masaniello
prima metà del XVII secolo
olio su rame; 34x28
prov.: deposito Villa Rosebery
inv. 23926

Dubbia è la fedeltà fisionomica, come
in quasi tutti i ritratti di Masaniello, che
furono eseguiti dagli artisti dell'epoca
"di memoria".

78

Carlo Coppola (attr.)
Il Tribunale della Vicaria
prima metà XVII secolo
olio su tela; 143x130
prov.: dono Banco di Napoli (1966)
Nel largo antistante Castelcapuano, sede
dei Tribunali napoletani, tra una folla
di popolani, mercanti, avventori, uomini di toga, ha luogo una singolare
consuetudine dell'epoca, riservata ai
debitori insolventi: il "cedo bonis", una
sorta di esposizione al pubblico ludibrio,
per manifestare ai creditori la propria
nullatenenza. La colonnina, alla quale
il malcapitato debitore veniva legato, è
conservata nel museo.

Gaspar van Wittel
La Darsena di Napoli
siglato e datato «G. V. W. 1702»
olio su tela
prov.: acquisto Simonetti (1915)
inv. 13731

Manifattura napoletana
Carrozza degli Eletti della Città
di Napoli
1730 ca.
legno intagliato e dorato;
bronzo dorato; ferro dorato
prov.: deposito Museo Nazionale
Napoli (1865)
inv. 1024

Jean Jacques Caffieri
Carlo di Borbone
documentato al 1754
argento fuso a cera persa; h. 20
base: alabastro; h. 8
prov.: Napoli, Museo Nazionale (1947)
inv. 10205

82

Ermenegildo Hamerani
*Modello della medaglia
commemorativa per la posa della
prima pietra della Reggia di Caserta*
1752
cera; diam. mm 72
prov.: dono Ricciardi (1921)
inv. S. N.
La cerimonia della posa della prima
pietra per la costruzione della Reggia di
Caserta avvenne il 20 gennaio del 1752,
nel giorno del trentaseiesimo
compleanno di Carlo di Borbone. La
medaglia coniata per l'occasione su
disegno di Luigi Vanvitelli,
nell'intenzione dei sovrani, doveva
essere sotterrata in una cassetta nel
solco delle fondamenta. Con la
distruzione dei coni, voluta dal Re, il
modello in cera è l'unica testimonianza
della medaglia.

Manifattura napoletana, fine XVIII
secolo
*Croce da cavaliere del Real Ordine di
San Gennaro*
oro e smalti policromi; h. 6
prov.: dono Ruffo di Bagnara (1912)
inv. 13302
In deposito al Museo e Gallerie
Nazionali di Capodimonte.

Manifattura napoletana, seconda
metà XVIII secolo
Manto dell'Ordine di San Gennaro
seta ricamata in oro
prov.: dono Ricciardi (1920)
inv. 15574
Un grande ricamo, sul lato sinistro,
riproduce la placca dell'Ordine di San
Gennaro. In deposito al Museo e
Gallerie Nazionali di Capodimonte.

Antonio Joli
*Imbarco di Carlo di Borbone per la
Spagna il 6 ottobre 1759*
firmato e datato 1759
olio su tela; 129,5x208
prov.: deposito Municipio di Napoli
(1888)
inv. 23

La folla esultante, assiepata sul molo,
accompagna i Sovrani all'imbarco e
rappresenta, per l'acuta
caratterizzazione, un interessante brano
di vita cittadina dell'epoca. Il dipinto fu
commissionato allo Joli dagli Eletti
della Città di Napoli. In deposito al
Museo e Gallerie Nazionali di
Capodimonte.

84

Antonio Joli
Partenza di Carlo di Borbone per la
Spagna il 7 ottobre 1759
firmato e datato 1759
olio su tela; 129,5x209
prov.: deposito Municipio di Napoli
(1888)
inv. 24

Il dipinto fu commissionato allo Joli
dagli Eletti della Città di Napoli. In
deposito al Museo e Gallerie Nazionali
di Capodimonte.

Michele Foschini
Carlo di Borbone invita Ferdinando
IV bambino a sottoscrivere l'atto della
sua rinuncia al trono del regno di
Napoli e di Sicilia
firmato e datato 1761
olio su tela; 211x266
prov.: deposito Municipio di Napoli
inv. 21

Michele Foschini
*Ferdinando IV bambino presta
giuramento davanti ai baroni ed
alla magistratura del Regno*
firmato e datato 1762
olio su tela; 208x262
prov.: deposito Municipio di Napoli
inv. 22

Carlo Bonavia (attr.)
Veduta della "Panatica"
seconda metà XVIII secolo
olio su tela; 72,5x228
prov.: acquisto (1890)
inv. 5196

Veduta di Napoli da Pizzofalcone
inizi XVIII secolo
olio su tela; 75x170
prov.: deposito Villa Rosebery (1934)

Manifattura napoletana
Abito da ricevimento (marsina,
calzoni, sottoveste)
1770-1780
stoffa di seta operata; ricami di sete
policrome; bottoni ricamati con sete
policrome
prov.: ignota
inv. S. N.

Costanzo Angelini
Ritratto di Maria Carolina d'Austria
firmato, ultimo decennio XVIII secolo
pastello su carta; 50x40
prov.: acquisto Tesorone (1909)
inv. 12195

92

Costanzo Angelini
Ritratto di Filippo Tagliolini
fine XVIII secolo
olio su tela; 63,5x49,5
prov.: dono Angelini (1880)
inv. 2750
Giunto a Napoli nel 1781, proveniente
dalla Imperiale Manifattura di Vienna,
il Tagliolini, con la sua carica di capo
modellatore, indirizzò la produzione
della Real Fabbrica della Porcellana di
Napoli verso i dettami del
neoclassicismo europeo. Autentici
capolavori sono alcuni "biscuits" ad
imitazione di gruppi scultorei antichi.

Heinrich Friedrich Füger
Il marchese di Gallo, Marzio Mastrilli
firmato e datato 1783
olio su tela; 252x165
prov.: dono Statella (1949)
inv. 21656
Marzio Mastrilli (1753-1833), qui in un ritratto giovanile con il sontuoso manto dell'Ordine di San Gennaro, per le sue doti di abile diplomatico, svolse un ruolo di primo piano nella vita politica sia nel corso del Regno di Ferdinando IV, sia nel decennio del dominio francese.

Per il Borbone rivestì la carica di ministro della Guerra nel 1798 e fu incaricato di delicate missioni diplomatiche. Con Giuseppe Bonaparte, prima, e con Gioacchino Murat, poi, ebbe il Ministero degli Esteri.

94

Angelica Kauffmann
Ritratto di Domenico Cirillo
fine XVIII secolo
olio su tela; 105x70
prov.: acquisto Bartolomucci (1873)
inv. 1102
Il dipinto fu eseguito, probabilmente,

nel secondo soggiorno napoletano
(1784-86) della pittrice svizzera,
quando ebbe rapporti con la buona
società del tempo e strinse amicizia, in
particolare, con il medico e botanico
Domenico Cirillo, come è noto, tra i
"Martiri" illustri della Repubblica del '99.

Ritratto di giovane ufficiale in uniforme della Repubblica napoletana
fine XVIII secolo
olio su tela; 83,5x65
sul cartiglio, in basso a destra, si legge:
«Liberté/Egalité/ Inspection General/1799».
prov.: dono Savarese (1901)
inv. 9155

Unica testimonianza figurativa di una divisa militare della Repubblica Partenopea, alquanto conforme al tipo descritto nel "Regolamento per la divisa e vestiario della Guardia Nazionale", datato 23 germile 1799. Sono riconoscibili i simboli della Repubblica: le iniziali *R. N.*, il fascio da littori ed il berretto frigio sulla fibbia del cinturone.

Ritratto del cardinale Fabrizio Ruffo
fine XVIII secolo
olio su tela; 100x73
prov.: dono Ruffo di Bagnara (1912)
inv. 13244

Tito Angelini
Decapitazione di Ettore Carafa
1860 ca.
terracotta; 28x60
prov.: dono Lambiase Sanseverino di
San Donato (1946)
inv. 21447

Uno dei "martiri" della Repubblica
Partenopea, Ettore Carafa, conte di
Ruvo, fu catturato nella natia Puglia,
ove aveva combattuto contro le armate
reazionarie e, condotto a Napoli il 17
agosto del '99, fu decapitato il
successivo 14 settembre.

Manifattura francese, inizi XIX secolo
*Mantellina appartenuta a Gioacchino
Murat*
velluto cremisi e ricami in oro
inv. 2747

Odoardo Fischetti
La presa di Capri ad opera dei
Francesi dal lato di Anacapri, il 4-5
ottobre 1808
1811
olio su tela; 250x390
prov.: cessione dal Museo Nazionale
(1873)
inv. 1105

Il dipinto, "pendant" della tela
raffigurante *Murat che assiste alla*
presa di Capri da Massalubrense, fu
eseguito dal Fischetti su commissione
reale. L'intera operazione militare,
vanto del Napoleonide, durò dal 4 al 17
ottobre del 1808, giorno in cui venne
firmata la capitolazione dell'isola.

Pierre-Philippe Thomire
Anfore
inizi XIX secolo
bronzo cesellato e dorato
57,5x43; ognuna base 15x15
prov.: legato Caracciolo di Sant'Eramo
(1960)
invv. 23657, 23658

Pierre-Philippe Thomire
Orologio
inizi XIX secolo
bronzo cesellato e dorato; h. 56
prov.: legato Caracciolo di Sant'Eramo
(1960)
inv. 23656
sul quadrante si legge «J. B. Laurent &
co a Paris»

Oreficeria francese, inizi XIX secolo
Collare dell'Ordine delle Due Sicilie
oro, smalto
l. 58,5; diam. 32,5
prov.: acquisto M. L. Ricciardi Spiriti
(1896)
inv. 5706
Esemplare unico, donato nel 1813 da
Murat a Francesco Ricciardi, suo
ministro di Grazia e Giustizia. Dagli
eredi di costui fu venduto allo Stato, nel
1896, per la somma di 10.000 lire.
I quindici smalti che si alternano alle
maglie d'oro rappresentano gli emblemi
delle provincie del Regno.

Manifattura napoletana (?)
Abito femminile da Corte
1810 ca.
stoffa faglia di seta; ricami di filo
d'argento dorato, cannutiglia, lustrini
d'argento dorato.
prov.: dono Ruffo di Bagnara (1912)

Filippo Rega, Vincenzo Catenacci, Giuseppe Gnaccarini
Cristo Re
1821-1844
topazio del Brasile; 19x13 (1945 gr)
prov.: acquisizione 1882
inv. 2855.
Già metà di un "topazio", del peso di quattro chilogrammi, trovato a Roma da Filippo Rega, incisore del Real Laboratorio delle Pietre Dure di Napoli; diviso per ordine del re Francesco I perché fossero ricavate due portelle di ciborio: la prima per l'altare maggiore della basilica di San Francesco di Paola di Napoli, la seconda per quello della Cappella Palatina di Caserta. Notevoli difficoltà tecniche procurate dall'intaglio delle due gemme, la partecipazione di vari artisti all'impresa (Rega, Catenacci, Gnaccarini, Citarelli, Liberti in aggiunta ad una commissione di esperti quali gli scultori Solari, Calì e Angelini), i vari modelli esibiti, i cambiamenti del gusto, determinarono gravi rallentamenti, considerando che le opere iniziate nel 1820 erano ancora incompiute nel 1844. La seconda gemma raffigurava il *Cristo in atto di spezzare il pane eucaristico*; fu venduta intorno al 1914 e risulta dispersa.

104

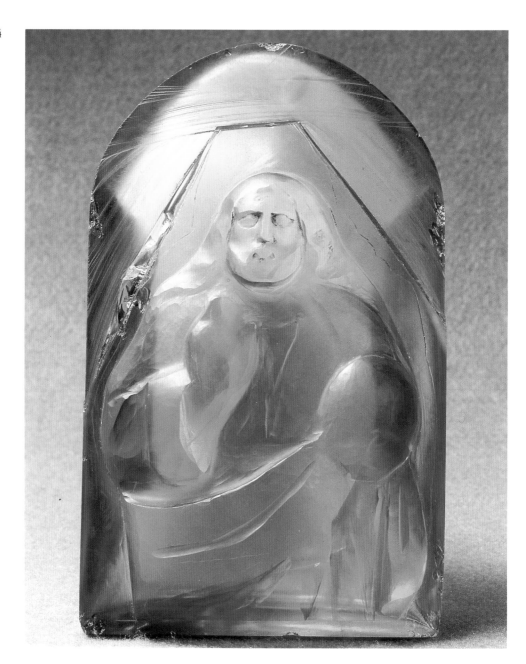

Augusto Riedel
Ritratto di Maria Sofia di Baviera
metà XIX secolo
olio su tela; 136x100
prov.: dono Marulli di San Cesareo (1960)
inv. 23652
Il dipinto era stato donato dalla stessa regina alla duchessa di San Cesareo Berio, sua dama d'onore, l'unica che aveva seguito la sfortunata sovrana nel suo esilio a Gaeta. Proprio ad una discendente della Duchessa si deve la donazione dell'opera al museo.

Salvatore Fergola
L'interno della Sala Tarsia con i
prodotti di arti e mestieri napoletani
in mostra nel 1853
firmato e datato 1854
olio su tela; 102x140
prov.: Napoli, Museo Nazionale (1884)
inv.: 3535

Edoardo Dubufe
Ritratto del principe di Sant'Antimo,
Vincenzo Ruffo, con i figli
firmato e datato 1852
olio su tela; 345x235
prov.: dono Ruffo di Bagnara (1912)
inv. 13192
Tra i figli del Principe di Sant'Antimo è
raffigurato anche Fabrizio Ruffo,
donatore della raccolta al museo.

Francesco Hayez
Ritratto della principessa di
Sant'Antimo
seconda metà XIX secolo
olio su tela; 116x93
prov.: dono Ruffo di Bagnara (1912)
inv. 13199

108

**Manifattura napoletana, prima metà
XVIII secolo**
Lancia a 24 remi
legno intagliato e dorato; m 19,20x3
prov.: Napoli, Dipartimento Marittimo
(1908)
inv. 2931
L'elegante scafo fu donato dalla città di
Napoli a Carlo di Borbone; il
baldacchino a poppa ha il soffitto
decorato con un soggetto allegorico
attribuito a Francesco De Mura.

Manifattura napoletana
Modello del "Brigantino Principe Carlo"
1828
legno verniciato; 265x48
prov.: dono Dipartimento Marittimo di
Napoli (1908)
inv. S.N.

Salvatore Fergola
*La "Real Ferdinando" in
navigazione*
1828 ca.
olio su tela; 52x65
prov.: dono di Martino (1886)
inv. 3980

Già ritenuto il "primo vascello a vapore
Ferdinando I", è invece una unità a
vapore acquistata in Inghilterra di 250
tonnellate con la capacità di trasportare
200 passeggeri. Essa fece il suo primo
viaggio, per Messina e Palermo, il 20
giugno 1824.

Manifattura italiana (?), XVII secolo
Schiavona
acciaio; l. 93
prov.: dono Savarese (1901)
inv. 8215
Lama sgusciata; guardia a gabbia.
Spade tipiche usate dalle truppe dalmate
al servizio della Repubblica Veneta.
Resta problematica la identificazione
delle fabbriche di produzione.

Manifattura tedesca, metà XVII
secolo
Fiasca da polvere
corno di cervo intagliato; guarnizioni di
ottone; 21,7x12
prov.: acq. Rosa (1912)
inv. 13150
La scena raffigura la *Resurrezione*.

Manifattura napoletana, seconda
metà XVIII secolo
Catuba
metallo, legno; h. 164
prov.: dono Savarese (1901)
inv. 8541

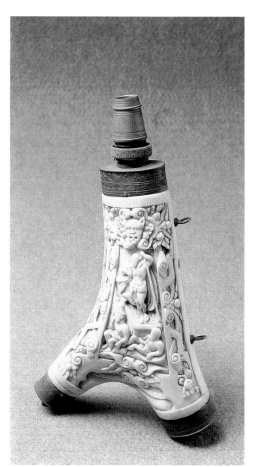

Reali Manifatture Militari di Napoli
*Spada di onore di Francesco I di
Borbone, con fodero*
firmata e datata 1824
acciaio, argento cesellato, metallo
dorato, corno nero, l. 105 (con fodero);
astuccio di mogano foderato di velluto
originale 8,8x109x15,7
prov.: Napoli, Museo di Capodimonte
(Collezioni Reali)
inv. S. N.

Fabbrica Venditti
*Pistola a ripetizione e scatola con
proiettili*
1848
acciaio, piombo, legno, stagno; l. 32,5
prov.: acq. Tanucci (1908)
inv. 10811
Il "Sistema Venditti" era protetto da
Regia Patente Borbonica dall'inizio

della produzione, nel 1848; i proiettili
sono di piombo liscio, di forma conica a
testa piatta con cartuccia di ottone con
nel centro l'innesco e nell'interno la
polvere nera; l. mm 13, calibro del
proiettile mm 10,7. Più piccoli di quelli
in uso per le "Pistole Volcanic" prodotte
su modelli sviluppati in America da
Smith e Wesson.

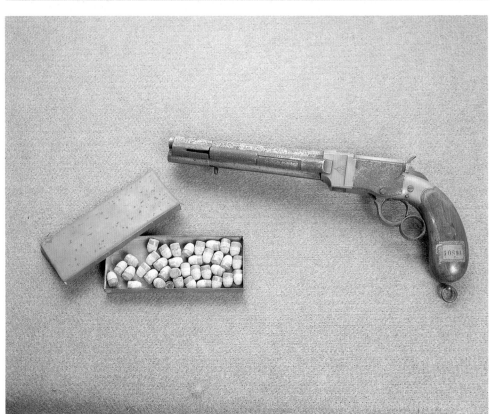

Emanuele Gin ed Emilio Gin
Artiglieri
seconda metà XIX secolo
matita, acquarello, carta color
paglierino
prov.: acq. Gin (1923)
inv. 14015

Emanuele Gin ed Emilio Gin
Bersaglieri
seconda metà XIX secolo
matita, acquarello, carta color
paglierino
prov.: acq. Gin (1923)
inv. 14015

La sezione presepiale

Per le premure di Giuseppe Fiorelli il Presepe napoletano del Settecento, per la prima volta, fu annoverato fra le manifestazioni d'arte dell'antica Capitale degne di figurare in un museo. Nel 1879 fu possibile ammirare un monumentale *Presepe*, animato da innumerevoli *pastori*, *animali* e *nature morte*, donati dal commediografo e patriota Michele Cuciniello, situato scenograficamente nell'antro di una grotta artificiale ricavata in un antico ambiente della "Cucina" della Certosa.

Il progetto, di un gusto spiccatamente teatrale e neobarocco, è opera dello stesso Cuciniello, dell'architetto Fausto Niccolini, dello scenografo Luigi Masi, del costruttore presepiale Luigi Farina.

Le opere, in genere, sono da attribuire a notevoli scultori napoletani: dal Celebrano al Gori, dal Polidoro al De Luca, dall'Ingaldi al Gallo, ai fratelli Vassallo; databili al XVIII-XIX secolo.

Il nucleo iniziale fu incrementato negli anni grazie a donazioni e qualche acquisto, fino a diventare la raccolta pubblica più rappresentativa nella rara specializzazione. Tra le acquisizioni successive si segnalano: il *Presepe Ricciardi*, dal nome del proprietario, un legato del 1917; una serie di *pastori*, *animali* e *nature morte* donati da Assante (1929) e De Simone-Menna (1972); o legati da Lacaci y Diaz (1917), Carrara (1956), Colletta (1957); o acquistati da Bonghi (1872), Novi (1891), Tesorone (1909), Ufficio Esportazione di Milano (diritto di prelazione 1923), Scognamiglio (1924).

Determinante per l'arricchimento e la qualificazione dell'intera Sezione è stata la raccolta donata dall'avvocato Pasquale Perrone (1971); già parte di una vasta ed insigne collezione formata dagli avi, Fortunato e Raffaele, nel 1822; attualmente si segnalano autografi superbi di Giuseppe Sanmartino, Giuseppe De Luca, Giuseppe Gori, Matteo Bottigliero, Nicola Ingaldi, Lorenzo Mosca, Francesco Gallo, Nicola e Saverio Vassallo, Leopoldo Amoroso, Antonio Vinaccia.

Michele Cuciniello, Fausto Niccolini,
Luigi Masi e Luigi Farina
Presepe "Cuciniello"
datato 1879

Giuseppe Sanmartino
Mendicante
1760-1770 ca.
terracotta policromata, occhi di vetro,
vestitura originale; 19 x 33 x 17
prov.: acq. Ufficio Esportazione Milano
(1923)
inv. 13016

Giuseppe Sanmartino
Mendicante cieco con le cataratte
1780-1785 ca.
testa di terracotta, mani e piedi di legno,
policromati; occhi di vetro; corpo di filo di
ferro e stoppa; vestitura originale; h. 42
prov.: dono Perrone (1970)
inv. S.N.

Giuseppe Sanmartino
Giovane contadina
1780-1790 ca.
testa di terracotta, mani e piedi di legno,
policromati; occhi di vetro; corpo di filo
di ferro e stoppa; vestitura originale; h. 41
prov.: acq. Ufficio Esportazione Milano
(1923)
inv. 14019

La sezione delle arti medievali e moderne

I dipinti

In una Certosa che è di per sé una straordinaria galleria della pittura napoletana del Seicento e Settecento e che Fiorelli destinò ad essere un museo di documentazione della storia e della civiltà napoletane, organizzare una pinacoteca che avesse vita autonoma è stata operazione complessa e difficile.

Già nel 1879 un primo trasferimento dal Museo Nazionale di tele di Salvator Rosa, Giordano e Solimena mostra l'intento della direzione di creare anche una raccolta di dipinti di qualità, con lo scopo di accrescere il prestigio della nuova istituzione museale. Nel 1883 vengono prelevati, sempre dal Museo Nazionale, quaranta quadri di varie epoche, dalle tavole cinquecentesche di soggetto sacro di Marco Pino alle settecentesche tele "di figura" di De Mura e Bonito; il nucleo più cospicuo è rappresentato, però, da dipinti "di genere" con nature morte, battaglie e vedute. L'anno successivo, il 1884, sono addirittura una settantina i dipinti "ceduti" dal Museo Nazionale e tra essi sono ancora una volta in maggioranza quelli di carattere decorativo, affiancati da qualche scena sacra di Stanzione, Vaccaro, Preti e dal celebre autoritratto di Solimena. Nel 1901, l'allora direttore Spinazzola riordina il museo con criteri che resteranno pressoché invariati fino alla seconda guerra mondiale: la sua pinacoteca, concepita come un *excursus* nell'arte del Mezzogiorno d'Italia, prevede l'esposizione anche di "facsimili", laddove non sia stato possibile reperire testimonianze originali, e la compresenza dei "grandi ricordi storici", che costituiscono comunque la spina dorsale del museo. Negli anni dal Dieci al Trenta la collezione non viene incrementata e, anzi, parecchie delle opere precedentemente raccolte sono inviate a decorare ambasciate e uffici, enti e chiese.

Finita la guerra, il museo è risistemato da Bruno Molajoli e affidato alla direzione di Gino Doria; la Quadreria, nonostante ulteriori depositi in altre sedi, si presenta organicamente disposta e ricca soprattutto di dipinti del diciassettesimo e diciottesimo secolo, incrementati da doni (del Po), da acquisti ministeriali (Caracciolo, Giordano, Dominici, Bonito) e da numerose opere, ora non più visibili perché rientrate nelle originarie sedi del "Quarto del Priore" e della Reggia di Caserta. Purtroppo, dal 1980 in poi, a seguito dei danni causati dal terremoto, la sezione è chiusa e si resta in attesa della sua riapertura secondo il riordinamento previsto dall'attuale direzione.

Attualmente, dunque, sono nei depositi del museo un centinaio di dipinti antichi, che costituiscono un piccolo ma valido "spaccato" della pittura napoletana dal XVI al XVIII secolo.

Il XVI secolo, rappresentato soprattutto da quella cultura manieristica d'importazione toscana che tanta importanza ebbe per la produzione figurativa locale, annovera una potente *Decollazione del Battista* di Marco Pino e le tavolette (in deposito) con *Storie di san Giovanni* che un Vasari insolitamente intimista realizzò per San Giovanni a Carbonara.

Molto più numerose sono le opere del "secolo d'oro della pittura napoletana", il Seicento, e alcune di esse possono dirsi, *tout-court*, capolavori. Si inizia con Battistello Caracciolo, tutto caravaggesco nell'austera *Madonna col Bambino e san Giovannino* e già chiuso in una sua personalissima maniera nella più matura *Andata al Calvario*. Fra i tanti filoni, poi, in cui trovò spazio la creatività dei pittori napoletani della prima metà del Seicento, è quello, così caratteristico, dei "martirii", con un sognante *Martirio di san Sebastiano* dell'onnipresente Gargiulo ed una movimentata *Decollazione di san Gennaro e dei compagni nella Solfatara* di Niccolò de Simone, di cui è anche un'*Adorazione dei Magi*. Non mancò, com'è noto, all'arte napoletana il contributo fondamentale di pittori attivi nel resto d'Italia e sono qui a ricordarlo due *Marine* di Filippo d'Angeli e una tipica scena biblica (*Isacco e Rebecca*) del genovese Castiglione. Il versante classicista è rappresentato da un *Incontro di Giacobbe e Rachele,* opera giovanile dal fresco cromatismo di Pacecco de Rosa; la sezione seicentesca si chiude, infine, idealmente con la grande tela di Mattia Preti raffigurante *Le età dell'uomo*.

In parallelo, si sviluppa il settore, particolarmente ricco, delle "nature morte", che percorre tutto l'evolversi di questo genere pittorico, dagli esemplari più antichi di Giovan Battista Ruoppolo e Giuseppe Recco alla produzione quasi di serie di Gaetano Cusati (attivo nella seconda metà del XVII secolo), per finire con l'ultimo grande esponente, Andrea Belvedere, ed il suo epigono Gaspare Lopez. Anche le vicende della pittura del Settecento a Napoli risultano ben delineate: significativamente si comincia sotto lo sguardo altero con cui si ritrasse Solimena, che di quella pittura fu per la prima metà del secolo il "nume tutelare" ed il portavoce a livello europeo. L'altra personalità di ampio respiro, De Mura, è qui presente con un dipinto, *Selene e Endimione*, di grande suggestione tra rimandi naturalistici e decantate passioni. Più strettamente rappresentativo del gusto locale è Giuseppe Bonito, abile ritrattista (*Ritratto di gentiluomo*), autore di soggetti sacri concepiti come le predilette scene di genere (*Cristo deriso*) e pittore di Corte, per la quale ideò anche arazzi (bozzetti preparatori per Caserta con *Zefiri e festoni di fiori*); dal confronto con la produzione di Bonito, risalta con maggior vigore l'aspra satira sociale della *Rissa* di Gaspare Traversi, in deposito da Capodimonte. Espressione di generi cari alla committenza settecesca locale sono una "veduta ideata" di Leonardo Coccorante con *La rada di Taranto* e un paio di romantici paesaggi post-rosiani di Gaetano Martoriello.

Giovan Battista Caracciolo detto
Battistello
Andata al Calvario
1620 ca.
olio su tela; 128x180
prov.: Napoli, Ospedale degli Incurabili
Il taglio prediletto da Caracciolo, a
mezze figure viste dal basso verso l'alto,
acuisce l'azione drammatica che si
svolge fra i protagonisti di questo
essenzialissimo dipinto, tutta giocata sul
convergere degli sguardi verso le mani
impotenti della Madonna.

Giovanni Benedetto Castiglione
Isacco e Rebecca
1642-44 ca.
olio su tela; 120x170
prov.: Napoli, Museo Nazionale (1883)
inv. 3142
L'episodio biblico di Isacco e Rebecca che

cercano scampo alla carestia fuggendo
con i figli e le greggi verso Gerar è, come
sempre in Castiglione, un pretesto per
realizzare un dipinto in cui i veri
protagonisti sono alberi, animali e nature
morte in un movimentato paesaggio.

Abraham Casembrot
La pesca del pescespada nello stretto di Messina
firmato e datato 1644
olio su tela; 116x179
prov.: dono Ruffo di Bagnara (1912)
inv. 13193
Un raro dipinto di questo artista olandese attivo a Messina nella prima metà del XVII secolo e noto piuttosto come incisore. La precisa descrizione di uomini e barche impegnati nella cattura del pescespada fa di quest'opera un documento estremamente interessante sulle tecniche di pesca; altrettanto importante per le nostre conoscenze di storia e geografia è la rappresentazione fedelissima dei luoghi.

Giovan Battista Ruoppolo
Natura morta con frutta
1680 ca.
olio su tela; 127x156
prov.: Napoli, Museo Nazionale (1883)
inv. 3110
Una svolta in senso barocco è ormai
evidente in questa trionfale

composizione di pampini e varie frutta
in cui anche la pennellata si è fatta più
fluida. La formazione naturalistica del
pittore è, però, ancora tutta presente: si
veda, ad esempio, come sono rese le
carnose foglie di vite o la succosa polpa
del cocomero.

Andrea Belvedere
Natura morta con pesci
siglato, 1680-90 ca.
olio su tela; 97x104
prov.: Napoli, Museo Nazionale (1884)
inv. 3530

Mattia Preti
Le Età dell'uomo
ultimo quarto XVII secolo
olio su tela; 126x177
inv. S.N.

Francesco Solimena
Autoritratto
1720 ca.
olio su tela; 129x114
prov.: Napoli, Museo Nazionale (1884)
inv. 3518
Ancora nel pieno vigore della sua

lunghissima vita, Solimena espresse in
questo autoritratto ufficiale, con grande
maestria tecnica, tutto il suo orgoglio di
artista e la consapevolezza
dell'importante ruolo da lui raggiunto a
Corte e in società.

Francesco De Mura
Selene e Endimione
quinto decennio del XVIII secolo
olio su tela; 118x163
prov.: Napoli, Museo Nazionale (1883)
inv. 3135
Il soggetto mitologico e la necessità di ambientare la scena in una luminosità "lunare" esaltano, in quest'opera, le qualità di De Mura, pittore dai toni elegiaci e dalle preziosissime gamme cromatiche, pur nel ricordo evidente delle composizioni del suo maestro Solimena.

Antonio Dominici
Il sepolcro di Virgilio
firmato e datato 178[4]
olio su rame; cm 62x50
prov.: Napoli, Ufficio Esportazione
(1976)
inv. 25666
Noto come pittore di affreschi e ideatore di soggetti per arazzi, Dominici fu anche paesaggista di qualità. In questa piccola composizione ritrasse, con sensibilità già "romantica", uno dei luoghi più cari, per memoria storica e bellezza naturale, a viaggiatori e vedutisti italiani e stranieri dal Settecento in poi.

Le sculture

Il Museo di San Martino fu costituito con materiale tratto dalla stessa Certosa, oltre che dal Museo Nazionale (nel 1878), arricchito poi con acquisti e donazioni, a volte disorganici, quindi integrato verso il 1900 con depositi di pertinenza del Municipio, in massima parte provenienti da edifici sacri e civili demoliti a seguito del Risanamento.

Il *corpus* di opere plastiche ha riflettuto nel tempo tali circostanze. Non sempre tuttavia la qualità ha tenuto il passo della quantità, al punto che, dopo le tappe fondamentali dei riordinamenti di Spinazzola nel 1901 e di Molajoli nel 1948, oggi si prospettano nuove sistemazioni espositive, dettate dal rispetto delle provenienze storiche dei pezzi e da esigenze di lettura scientifica. Le sculture esposte si trovano oggi in gran parte accorpate in un'apposita sezione, temporaneamente non fruibile in tutti gli ambienti, lungo il lato nord del chiostro Grande. Altro materiale artistico è tornato nelle zone ospitanti le antiche raccolte dei Certosini, come il "Quarto del Priore", ed altri esempi di arte plastica sono sparsi variamente tra i diversi nuclei museali del complesso. Tutto l'insieme rappresenta una testimonianza di rilievo dell'arte napoletana tra il XIII e il XIX secolo.

Dopo un frammento di ambone con *Aquila e cartiglio*, della seconda metà del Duecento, ed un *Crocifisso* ligneo campano della fine dello stesso secolo, acquistato nel 1980, troviamo per il XIV secolo molti elementi sepolcrali, in particolare lastre tombali, provenienti da chiese napoletane attraverso i depositi e le cessioni tra Otto e Novecento dal Museo Nazionale e dal mai ultimato Museo Comunale di Donnaregina. Ricordiamo le lastre, o terragne o a copertura di sarcofaghi, di *Giovanna di Amandola*, già in Duomo, di *Francesco Paolo Brundisio*, di *Giovanna di Cavingiano*, già nella chiesa di Donnaregina Vecchia, quelle incise di *Gualtiero Caracciolo*, proveniente dalla medesima chiesa, e di *Jacobello Cabano*, oltre ai sarcofaghi di *Beatrice del Balzo*, rilavorato su un pezzo romano del I secolo d. C., proveniente da Santa Chiara, e di *Nicola Baraballo*. Gli esemplari figurati, anch'essi facenti parte di perduti monumenti sepolcrali, comprendono tra l'altro la serie di otto *Virtù* proveniente da Teano (acquistata nel 1906), la cosiddetta *"Madre di Corradino"* (forse, secondo un'altra ipotesi, una raffigurazione di Margherita di Borgogna, moglie di Carlo I d'Angiò), un *San Domenico con Giovanni di Durazzo* e una *Madonna col Bambino*, di ambito di Tino di Camaino, entrambi già in San Domenico Maggiore, oltre al notevole frammento di *Figura femminile giacente* del senese Tino di Camaino (che dal 1325 fu anche uno degli architetti progettisti della prima Certosa). Casi singolari e rilevanti sono infine il grande ex-voto del 1361, da San Pietro Martire, con la *Morte e Franceschino di Brignale*, suggestivo *transfert* di sacro e profano, e la *Vergine puerpera* in legno policromo di scuola senese-orvietana, verso il 1330, proveniente da Santa Chiara.

Per il XV secolo, oltre a lastre tombali di fattura attardata, come quella di *Beatrice di Ponciaco* del 1423 un tempo nella chiesa della Certosa, e a coperchi figurati di sarcofaghi di guerrieri di cui uno da San Lorenzo, segnaliamo il grande rilievo con *Alfonso d'Aragona Duca di Calabria a cavallo*, in origine sulla porta del Carmine, documento di committenza regia alla fine del secolo. Vanno poi ricordate alcune opere lignee policrome, custodite a San Martino ma non facenti parte del patrimonio museale, elementi di presepi o di gruppi scolpiti a grandezza naturale; la specializzazione era quasi esclusiva degli artisti nordici, tra cui Pietro Alamanno e il figlio Giovanni, cui spettano le superstiti sculture del grande *Presepe* un tempo in San Giovanni a Carbonara, eseguite tra il 1478 e il 1484, e quelle di poco anteriori provenienti dall'Annunziata.

Per il Cinquecento, oltre al busto in marmo di *Carlo V* attribuito a Giovanni Angelo Montorsoli, segnaliamo alcune opere della prima metà del secolo, entrate o per la donazione De Ciccio nel 1961 – una *Resurrezione* ad altorilievo entro una lunetta ed una *Fede* di Antonello Gagini – o per acquisti: un piccolo *Cristo risorto* di un seguace dello spagnolo Diego de Siloe ed il ritratto a bassorilievo di *Giovanni Pontano* della cerchia dell'altro spagnolo, pure attivo a Napoli, Bartolomeo Ordóñez.

Un'opera di respiro monumentale e raffinata qualità, presente nella Certosa fin dall'origine, è il *Monumento di Carlo Gesualdo*, databile verso il 1523, del napoletano Girolamo Santacroce, attualmente nella sezione "Quarto del Priore". Oltre all'altorilievo con l'*Annunciazione* attribuito a Girolamo D'Auria – fino al 1934 nella chiesa dello Spirito Santo – altre opere della stagione tardo-manieristica e proto-barocca sono presenti anch'esse *ab origine* in San Martino: l'altorilievo con *San Martino e il povero*, già sulla porta d'ingresso della Certosa, ed il monumentale gruppo con *Madonna col Bambino e san Giovannino*, entrambi di Pietro Bernini, anch'essi custoditi ora nel "Quarto del Priore".

Per il pieno Seicento e per il Settecento sono preminenti le straordinarie realizzazioni conservate nella chiesa e nel chiostro Grande. Per quanto ci riguarda ricordiamo un'opera, custodita nel museo ma non compresa fra le sue collezioni, ossia il bassorilievo circolare con l'*Autoritratto di Cosimo Fanzago* proveniente dalla guglia di San Gennaro in piazzetta Riario Sforza a Napoli. Per il Settecento abbiamo il bozzetto in terracotta del veneto Antonio Corradini per il celeberrimo *Cristo velato* della cappella Sansevero – realizzato in marmo e ripensato da Giuseppe Sanmartino nel 1753 – quindi una serie di modelli in terracotta raffiguranti *Virtù* o *Santi* di Angelo Viva e dello stesso Sanmartino, tra cui spicca il bozzetto di un *San Paolo*. Ancora a Sanmartino spetta un *San Francesco d'Assisi* a grandezza naturale, già nella chie-

sa di Sant'Efremo Nuovo, mentre ad Angelo Viva una suggestiva *Allegoria velata*.

L'Ottocento, che si apre con un'opera neoclassica di Antonio d'Este, il *Ritratto di Antonio Canova* del 1810, è rappresentato da una buona selezione di artisti, talvolta attivi sino agli inizi di questo secolo.

Oltre ad un *Ritratto di Vincenzo Gioberti* del 1848 del carrarese Pietro Tenerani, troviamo opere di scultori, talvolta di prima o seconda mano, talvolta più marginali, che in marmo, bronzo, gesso o terracotta documentano la vitalità della plastica napoletana tra Otto e Novecento: Angelini, Amendola, d'Orsi, Cifariello, Jerace, oltre naturalmente a Vincenzo Gemito. Segnaliamo il *Malatiello* ed il *Ritratto di donna* di Gemito, il gesso bronzato con *Salvator Rosa* di d'Orsi, modello per il monumento oggi all'Arenella, il gesso di Amendola per il *Murat* della facciata di Palazzo Reale. La presenza di queste opere a San Martino è un'ulteriore conferma del legame che fin dal principio ha stretto il museo alle progressive vicende storiche, civili, artistiche della città.

Vergine puerpera
1325-35
legno dipinto; h. 140, l. 195, prof. 64
prov.: Napoli, monastero di Santa
Chiara
inv. S. N.

Raro esempio di scultura policroma
trecentesca, la cui singolare iconografia
è oggi meno leggibile a causa della
scomparsa del Bambino. Risente
dell'influsso delle opere orvietane del
senese Lorenzo Maitani, con l'aggiunta
di una finezza decorativa di marca
francese.

134

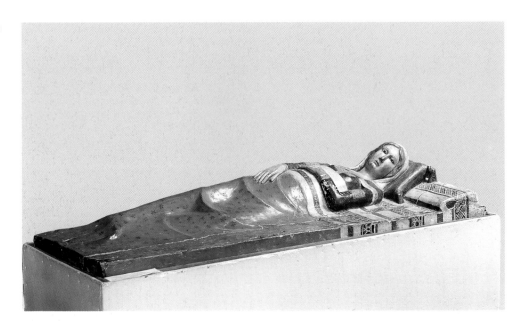

Tino di Camaino (cerchia di)
*San Domenico e Giovanni di
Durazzo*
1330-40
marmo; h. 172
prov.: deposito Municipio di Napoli
(1901); Napoli, chiesa di San Domenico
Maggiore
inv. S. N.

Questo gruppo, assieme alla *Madonna
col Bambino*, anch'essa qui presentata,
faceva parte probabilmente del
monumento di Giovanni di Durazzo,
già in San Domenico Maggiore. In
origine doveva esistere un terzo gruppo,
posto sopra la cassa a destra
specularmente a questo con *San
Domenico*, ma ne ignoriamo tanto
l'ubicazione quanto il soggetto.

Tino di Camaino (cerchia di)
Madonna col Bambino
1330-40
marmo; h. 170
prov.: deposito Municipio di Napoli
(1901); Napoli, chiesa di San Domenico
Maggiore

inv. S. N.
In origine in San Domenico Maggiore,
doveva fare parte del perduto
monumento funerario di Giovanni di
Durazzo, assieme ad un *San Domenico
con Giovanni di Durazzo* della stessa
mano, pure a San Martino.

136

Ex-voto con la Morte e Franceschino di Brignale
1361
marmo; h. 219, l. 96
prov.:Napoli, Museo Nazionale (1878); Napoli, chiesa di san Pietro Martire
inv. 2497
Questo singolare rilievo, commissionato per lo scampato pericolo di una tempesta in mare, mostra come l'attaccamento alla vita e alle cose mondane si stemperi nella contemplazione sbigottita della morte. La lastra illumina un aspetto della psicologia e delle convinzioni dell'uomo nella crisi del XIV secolo.

137

Pietro e Giovanni Alamanno
Presepe
1478-84
legno intagliato, dipinto e dorato
prov.: deposito Soprintendenza ai BAS di
Napoli; Napoli, chiesa di San Giovanni
a Carbonara
inv. S. N.
L'originario *Presepe* in quarantuno tra
figure ed altri elementi a grandezza
naturale, collocato nella cappella di
Jaconello Pepe in San Giovanni a

Carbonara, ha conosciuto nei secoli
vicissitudini varie per terremoti, eventi
bellici, furti. Ora a San Martino si
conservano la *Madonna*, il *San
Giuseppe*, due *Profeti*, due *Sibille*,
cinque *Angioletti*, il *bue* e l'*asino*,
suggestive testimonianze della
produzione del maestro Pietro e del
figlio Giovanni, scultori d'Oltralpe
operosi nel complesso crogiuolo
culturale della capitale aragonese.

*Alfonso d'Aragona duca di Calabria a
cavallo; due Stemmi aragonesi*
1484-94
marmo; h. 150, l. 125
prov. Napoli, Museo Nazionale (1878);
Napoli, porta del Carmine
invv. 2494, 2495, 2496
La porta del Carmine fu demolita nel

138

1865. Il personaggio raffigurato è Alfonso di Calabria, figlio di Ferrante I, poi re col nome di Alfonso II. Sue immagini equestri erano sulle porte del settore orientale della cintura muraria. L'iscrizione originaria fu sostituita già in antico per celebrare il nuovo re Ferrandino figlio dello stesso Alfonso.

Girolamo D'Auria (attr.)
Annunciazione
1575-80
marmo; h. 140, l. 230
prov.: deposito Soprintendenza Arte Medioevale e Moderna (1934); Napoli, chiesa dello Spirito Santo
inv. S. N.

Questo raffinato altorilievo va attribuito a Girolamo D'Auria, figlio del più famoso Gian Domenico. È interessante l'articolazione architettonica e ambientale, racchiusa entro due colonne scanalate e vivacizzata dall'accostamento tra un fondo paesistico ed un interno.

Bartolomeo Ordóñez (cerchia di)
Ritratto di Giovanni Pontano
1520-25
marmo; h. 45, l. 28
prov.: acq. Canessa (1903)
inv. 9946
L'opera raffigura il famoso umanista e poeta, morto nel 1503, fidato sostenitore della dinastia aragonese. Il ritratto fu realizzato postumo – da uno stretto seguace dello spagnolo Ordóñez, attivo per vari anni a Napoli e morto a Carrara nel 1520 – sull'esempio di una medaglia celebrativa e per una destinazione privata.

Antonio Corradini
Cristo velato
1750-52
terracotta; h. 28, l. 58, prof. 29
prov.: collezione d'Aquin Ayme
(acquisto 1914)
inv. 13524

Si tratta del pensiero originario per il celeberrimo *Cristo velato* della cappella Sansevero. Morto Corradini nell'agosto 1752, il sublime marmo fu realizzato da Giuseppe Sanmartino nel 1753, sulla scorta di un ripensamento originale e di un ulteriore bozzetto, sanmartianiano, tuttora non ritrovato.

Giuseppe Sanmartino
San Francesco d'Assisi
1785-88
marmo; h. 173
prov.: deposito Museo Nazionale (1933);
Napoli, chiesa della Santissima
Concezione dei Cappuccini Nuovi, detta
Sant'Efremo Nuovo
inv. S. N.

La chiesa dei Cappuccini Nuovi andò
distrutta in un incendio del febbraio
1840. In una collezione privata
napoletana si conserva il bozzetto in
terracotta, ad andamento compositivo
ribaltato. È un saggio del Sanmartino
più maturo, prima dei brillanti neo-
manierismi della fase terminale.

Angelo Viva (attr.)
Allegoria velata
1790-1800
marmo; h. 155
prov.: deposito Museo Nazionale (1933)
inv. S. N.
La scultura – che ha conosciuto una
tormentata vicenda attributiva, con
citazioni per Corradini, Pagano, Persico
– si accosta in piena coerenza ad una
serie di figure femminili velate eseguite
da Viva, tra cui l'*Allegoria* del 1786 in
San Paolo Maggiore a Napoli e
l'*Allegoria* della Chiesa madre di
Pignataro Maggiore. Il soggetto
potrebbe identificarsi per la *Modestia*.

Le "arti minori"

Il Museo custodisce rilevanti raccolte di "arti minori", procurate sia dalla lungimirante politica di acquisti promossa dal Fiorelli, interrotta, purtroppo, intorno ai primi decenni del Novecento, ad eccezione di rare occasioni in anni successivi di una importanza pressocché trascurabile; sia di generose disposizioni testamentarie senza soluzione di continuità fino ad anni recenti, benché con frequenza minore che in tempi ormai lontani; restituendo non solo un quadro ricco e complesso delle rare specializzazioni della civiltà artistica di Napoli e del Regno meridionale, dal Seicento all'Ottocento, con presenze significative di altri non meno illustri centri culturali italiani e stranieri, ma anche uno spaccato del processo di collezionismo privato e dei suoi esiti, ricco di implicazioni storiche del gusto e civili di non poco peso, dimentichi di linee culturali idealiste ed estetizzanti.

Porcellane e biscuits della Fabbrica di Capodimonte, della Real Fabbrica di Napoli, di Ginori, Sèvres, Meissen, Chelsea, ecc.

Ceramiche e terraglie delle più famose fabbriche di Napoli: Massa, Salandra, Coccorese, Chiaiese, Giustiniani, Del Vecchio, Delange-Calcagno, Mollica, D'Amato, comprese quelle Reali di Caserta e di Napoli, e tante altre anonime ma non meno importanti, dal Trecento al Novecento. Cospicuo e rappresentativo è il nucleo assegnabile alle maggiori dinastie dei Maestri di Castelli (Francesco, Carlo Antonio, Francesco Antonio Saverio, Anastasio, Aurelio, Liborio, Saverio Grue; Francesco Saverio Grue di Giovanni; Carmine, Giacomo, Berardino Gentili; Candeloro, Nicola, Fedele Cappelletti).

Non mancano esemplari di Cerreto, Pescolanciano, Laterza, Ariano, Caltagirone, Palermo, Sciacca, Urbino, Siena, Faenza, Venezia, Milano, Torino, ecc.

Vetri, dal Quattrocento all'Ottocento, di Murano, Hall, Kassel, Catalogna, Façon de Venise.

Avori napoletani, siciliani, fiamminghi; Coralli trapanesi; Pietre Dure eseguite dal Real Laboratorio di Napoli; Ceroplastiche del fiorentino Giovan Francesco Pieri e di altri importanti maestri napoletani; oggetti di arredo barocchi napoletani decorati con tartaruga; Serigrafie siciliane e napoletane; Ricami e abiti di corte e da ricevimento pure napoletani; Collages del siciliano Gaetano Ognibene. E poi ventagli, bastoni, mobili, specchiere, gioielli, onorificenze, medaglie, placchette, bottoni ecc. definiscono la straordinaria varietà delle opere fra le quali non poche spiccano per pregi formali e, talvolta, per assoluta unicità.

Alo storico acquisto della collezione "Bonghi", nel 1872, comprendente quasi tutte le specialità già elencate, vanno aggiunti gli acquisti "Giustiniani" (1879), "Novi" (1888, 1889, 1892), "Sparice" (1901, 1902, 1903, 1907), "Tesorone" (1909), "Tufano" (1911), "Guida" (1911, 1912), "Giovagnoli" (1912), interrotti, di tanto in tanto, da sporadici acquisti anonimi (1885, 1887, 1902) e da donazioni e legati i cui nomi benemeriti ricordano, in aggiunta ai tanti già citati, tra le prime: "Mollica" (1925), "Ricciardi" (1934, 1936), "D'Amato" (1937), "Orilia" (1953), "Abignente" (1964); tra i secondi "Del Vecchio" (1895), "Vandenheuvel" (1900), "Femin Lacaci y Diaz" (1917).

Infine, non potrà sfuggire, per riflesso, l'intuito acuto ed il gusto sicuro, in particolare, del Bonghi, del Tesorone, del Vandenheuvel, del Ricciardi, dell'Orilia e di altri, i quali puntarono la loro attenzione spesso sull'alta qualità, sulla estrema rarità e sull'interesse storico degli esemplari; attenti, soprattutto i primi due collezionisti, anche agli esiti delle sperimentazioni tecniche in sintonia con le ricerche erudite e con la rivalutazione delle "arti industriali" e dei processi produttivi (il Bonghi, il Tesorone, il Novi hanno pubblicato contributi sulle "arti" tanto amate). Nello stesso tempo va esaltato, in particolare, il valore storico di non pochi esemplari, come quelli ceramici acquisiti o dal patrimonio certosino o dagli eredi diretti delle stesse e più famose Fabbriche napoletane dell'Ottocento e del Novecento: dai Giustiniani ai Del Vecchio, ai Mollica, ai D'Amato.

Giovan Francesco Pieri
Le nozze mistiche di santa Caterina
firmato e datato 1749
cera policroma su lavagna; cornice di
legno dorato; 29,4 x 25
prov.: acq. Carlo Petito (1900)
inv. 6659

La *ceroplastica* è tratta dal famoso
dipinto di Annibale Carracci,
proveniente dalle collezioni Farnesiane,
passate in eredità a Carlo di Borbone;
attualmente nella Galleria Nazionale di
Capodimonte.

Manifattura trapanese, seconda metà
XVII secolo
La caduta degli angeli ribelli
avorio scolpito a tutto tondo; 22,5 x 11,4
prov.: acq. Bonghi (1872)
inv. 599

146

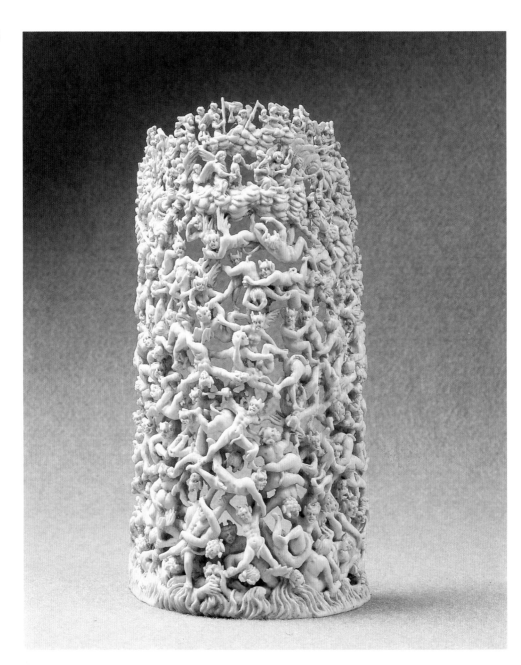

Manifattura trapanese, prima metà
XVII secolo
Capezzale
rame dorato, corallo, smalto; 28,5 x 25
prov.: acq. Bonghi (1872)
inv. 679
La *Vergine col Bambino* risale alla
iconografia orientale della *Hodigitria*.

Manifattura trapanese, seconda metà
XVII secolo
Calamai
seconda metà XVII secolo
rame dorato, corallo, argento; h. 10,5
ognuno
prov.: acq. Tesorone (1909)
invv.12151, 12152

Manifattura trapanese, prima metà XVII secolo
Crocifisso
corallo, oro, brillanti; 24 x 12,9
prov.: dono Ruffo (1910)
inv. 13266
La severa eleganza del modello d'estrazione latamente cinquecentesca, alieno da concitazioni linearistiche e plastiche tipicamente barocche, abituali in analoghi esemplari presenti in collezioni pubbliche e private, è espressione di uno stile attento e controllato e di una consumata perizia che sfrutta sapientemente l'andamento e le notevoli dimensioni del ramo di corallo. La croce di lamina d'oro a sbalzo, orlata con cordoncino d'oro ritorto, ed i "chiodi" di oro con brillanti incastonati sono da attribuire ad un intervento databile alla fine del XVIII secolo.

Manifattura napoletana, prima metà
XIX secolo
Orecchini con pendenti
prima metà XIX secolo
oro, perline scaramazze, pasta vitrea;
9,8 x 7,8
prov.: acq. Battente (1915)
inv. 13736

Giovanni Battista De Curtis e
Giacomo Fiammingo
Stipo
datato 1619
ebano, avorio inciso; 64 x 81 x 38,5
prov.: acq. Bonghi (1872)
inv. 596

Manifattura siciliana, XVII secolo
*Bureau-trumeau con stemma Ruffo
sulla ribalta*
radica di noce, mogano, bosso, avorio,
rame; 219 x 103 x 58,5
prov.: dono Ruffo (1910)
inv. 13222

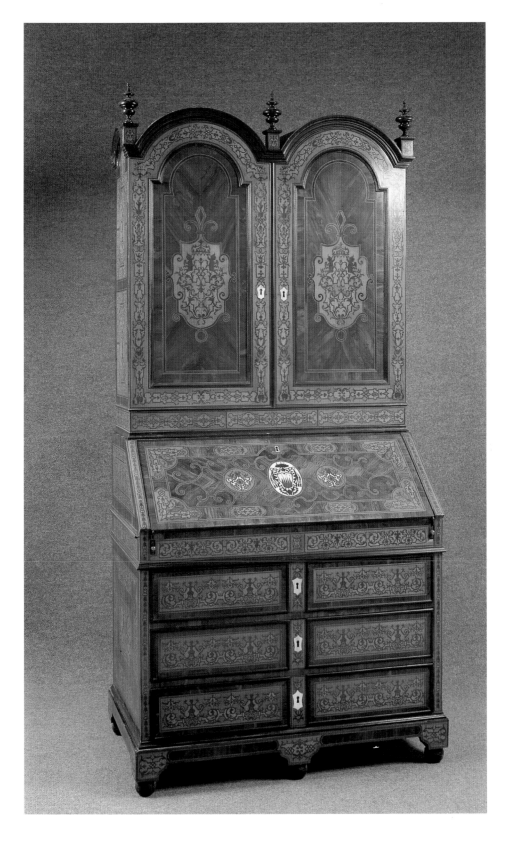

Manifattura inglese, fine XVIII secolo
Bureau à cylindre
radica di olmo, mogano, acero, ottone,
argento, decorazioni dipinte ad olio;
101 x 84,5 x 70
prov.: dono Ruffo (1910)
inv. 13221

Murano
Brocca monoansata
XV-XVI secolo
vetro incolore, smalti policromi,
dorature a fuoco; h. 26
prov.: acq. Bonghi (1872)
inv. 975

Murano
Acquareccia a forma di navicella
prima metà XVI secolo
vetro incolore, vetro azzurro
oltremarino; 24,5 x 16 x 9,5
prov.: acq. Bonghi (1872)
inv. 939

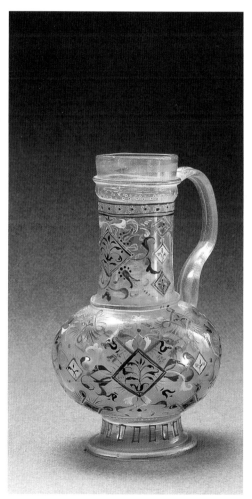

Hall
Pisside con coperchio
XVI secolo
vetro incolore, decorazioni incise a
punta di diamante; dorature a freddo; h. 39
prov.: acq. Bonghi (1872)
inv. 791
Sulla superficie del corpo sono
raffigurati *Il Cristo con i dodici Apostoli*
individuati dai rispettivi nomi incisi in
latino.

Catalogna
Confitero
inizi XVI secolo
vetro incolore con trasparenza fumé;
smalti policromi; dorature a fuoco;
h. 28,5, diam. 14,3
prov.: acq. Bonghi (1872)
inv. 936

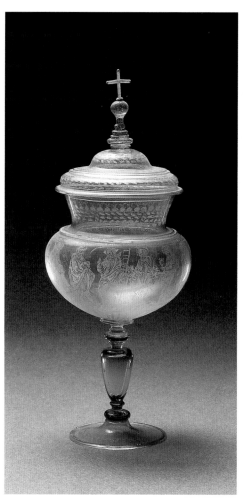

Murano
Specchio decorativo con incisioni
raffiguranti Zeus e fascia con
panoplie, nastri, racemi vegetali e
fiori
XVIII secolo
vetro a specchio con decorazioni incise
alla ruota; cornice di legno intagliato e
dorato; 107 x 63
prov.: acq. Bonghi (1872)
inv. 998[(4]

Antonio Lollo
Alzata (nel cavetto: *Il giudizio di*
Paride; in alto *stemma*)
firmato
seconda metà XVI secolo
ceramica policroma; h. 3,2 diam. 27,5
prov.: acq. Bonghi (1872)
inv. 493
Opera fondamentale e tra le più
problematiche della storia della
ceramica castellana.

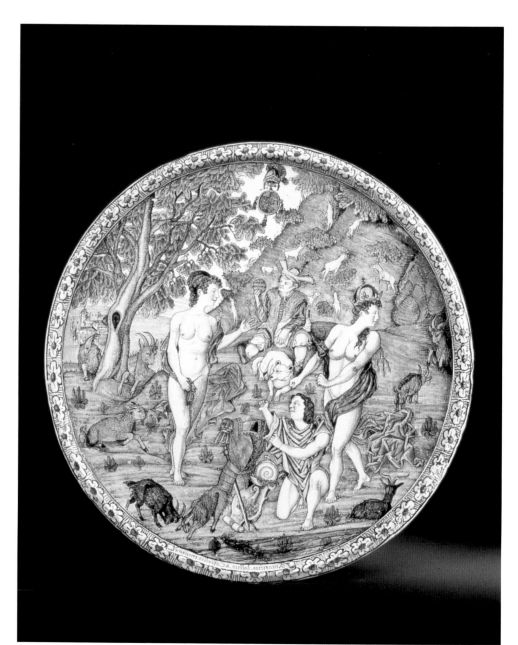

Carlo Antonio Grue
Vassoio da parata (nel cavetto: *Apollo saetta il serpente Pitone;* sulla tesa: *putti, racemi vegetali, fiori, uccelli, cartocci e mascheroni*)
1690 ca.
ceramica policroma; lumeggiature in oro a terzo fuoco; h. 4,5, diam. 43,5
prov.: acq. Bonghi (1872)
inv. 447
La decorazione è tratta da una incisione di Hendrick Goltzius (Venlo 1558-Haarlem 1616).

Francesco Antonio Saverio Grue
Mattonella (sulla parete: *Autoritratto*)
1717-1720 ca.
ceramica policroma; 23,4 x 14
prov.: acq. Bonghi (1872)
inv. 524

Francesco Saverio Maria Grue
Vaso da parata con coperchio, decorati con vignette raffiguranti scene galanti
1770-1780 ca.
ceramica policroma; h. 56
prov.: acq. Bonghi (1872)
inv. 326
Alcune scenette sono tratte da incisioni di Frédéric Hortemels (Parigi 1688-1738) derivate da dipinti di Nicolas Lancret (Parigi 1690-1743); altre sono ispirate alle *turqueries* in alternativa alle più comuni *chinoiseries*. È da ritenere un caposaldo della storia della ceramica napoletana del Settecento; con implicazioni, più in generale, valide anche per la storia della ceramica castellana coeva.

Carmine Gentili
Mattonella (sulla parete: *Il trionfo di
Bacco ed Arianna*)
firmata e datata 1717
ceramica policroma; 41,4 x 54,8
prov.: acq. Bonghi (1872)
inv. 484
La decorazione è tratta da una incisione
di Gérard Audran (Lione 1640- Parigi
1703) derivata da un perduto dipinto di
Antoine Coypel (Parigi 1661-1722).

Fabbrica Del Vecchio
Cratere a calice con due manici a
voluta raffiguranti due vipere
intrecciate (sulla parete, fronte anteriore:
Zefiro e Flora; fronte posteriore: *Selene*
abbraccia Endimione dormiente)
1853 ca.
terraglia policroma e dorature; h. 35,5,
diam. 28,5
prov.: legato Del Vecchio (1895)
inv. 5611[(1]

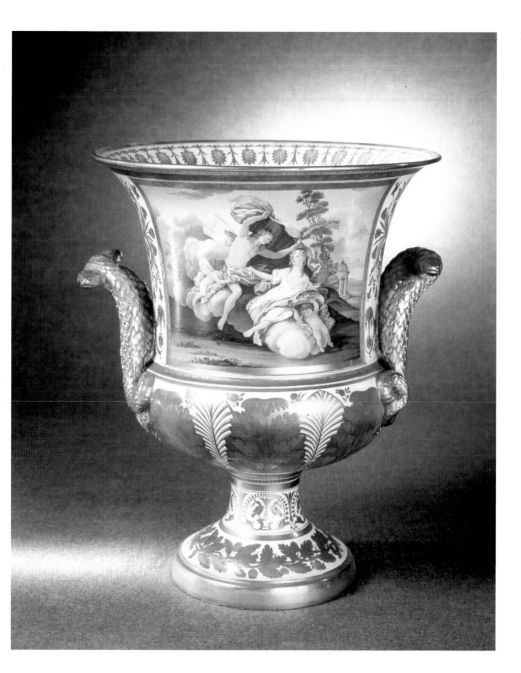

Fabbrica di Capodimonte,
1741-1759
Tabacchiera
porcellana policroma; argento dorato;
5 x 9,2
prov.: acq. Bonghi (1872)
inv. 579
Il corpo formato con conchiglie risale a
un modello eseguito da Giuseppe Gricci,
capo dei modellatori della Fabbrica. Nel
coperchio concavo è raffigurata una
scena galante tratta da una incisione
(ne sono note due: la prima di Flipart,
la seconda di Hayd) derivata da un
dipinto del pittore veneziano Pietro
Longhi databile a prima del 1750;
eseguita con la ben nota tecnica a
puntini è da assegnare a Giovanni
Caselli, capo dei pittori. La montatura
con cerniera che lega i due pezzi è di
argento dorato. È da ritenere un raro
esemplare di fattura raffinatissima

162

Fabbrica di Capodimonte,
1741-1759
Lampadario
porcellana policroma con dorature; h. 50
prov.: acq. Bonghi (1872)
inv. 589
Proveniente, probabilmente, dal
"Gabinetto verde della Regina Maria
Amalia di Sassonia, nel Palazzo Reale di
Portici".

Real Fabbrica della Porcellana di Napoli, 1771-1806
Caricatura di Bernardo Tanucci
porcellana; 12 x 10,5 x 7,5
prov.: dono Orilia (1953)
inv. 23288
Databile tra il 1776-1780, quando il potente Primo Ministro del re Carlo, poi Reggente al tempo di Ferdinando IV, fu destituito dagli incarichi di governo (26 ottobre 1776). Una straordinaria carica espressiva tormenta le membra e riduce il volto devastato ad una maschera abnorme; preme al fondo la satira politica ma anche la radice colta della formazione artistica dell'ignoto grande modellatore (attribuito da Carola Perrotti a Francesco Celebrano, direttore della Real Fabbrica), impegnato a gareggiare con gli insegnamenti delle crudeli immagini del Callot ed a superarlo nel suo tagliente umorismo; spinto, piuttosto, con illuministica consapevolezza, ad esorcizzare i "mostri" che il sonno della *razón* ha generato.

164

Real Fabbrica della Porcellana di
Napoli, 1771-1806, Filippo Tagliolini
*Ercole abbraccia Deianira dopo avere
abbattuto il centauro Nesso*
biscuit; h. 85, diam. 72
prov.: deposito Museo Nazionale di
Napoli (1872)
inv. 1016

Esemplare unico di straordinario
empito scultoreo e monumentale,
ereditato dall'antico Museo napoletano
dalle collezioni reali; passato nel
costituendo Museo Sanmartiniano di
"patrie memorie" nel 1872 per volere di
Giuseppe Fiorelli, in uno con altre
superbe opere d'arte.

Fabbrica di Sévres, primi decenni
XIX secolo, Raffaele Giovine
*Anfore biansate con medaglioni
circolari raffiguranti Francesco I di
Borbone e Maria Isabella di Borbone*
ognuna firmata datata 1823
porcellana policroma con dorature;
h. 44,3 ognuna
prov.: acq. Bonghi (1872)
invv. 590[(1-2]

Porcellane di importazione, come d'uso,
decorate a Napoli; in questo caso dal
Giovine, tra i maggiori decoratori
napoletani dell'epoca, fondatore di un
Laboratorio di miniatura e indoratura
della porcellana, istituito nei locali del
Laboratorio delle Pietre Dure a San
Carlo delle Mortelle, dal 1835 al 1860
(Novi).

166

Fabbrica Poulard Prad, 1807-1821,
Raffaele Giovine
*Tazza monoansata con medaglione
circolare raffigurante Gioacchino
Murat*
porcellana policroma con dorature; h.
7,4, diam. 7,7
marcata sotto la base: *Napoli* dipinto
rosso ed *N coronata* blu scuro sotto
vernice
prov.: acquisto (1873)
inv. 1095
Esemplare di singolare interesse storico-
artistico e documentario.

Fabbrica Poulard Prad, 1807-1821,
Raffaele Giovine
*Tazza monoansata con medaglione
circolare raffigurante Carolina
Bonaparte*
firmata e datata 1814
porcellana policroma con dorature;
h. 6,2, diam. 6,2.
marcata sotto la base: *N coronata* blu
scuro sotto vernice; segnata sotto la
base: *6* incusso sotto vernice; *n* blu sotto
vernice
prov.: acq. Guarino (1905)
inv. 10266
Esemplare di singolare interesse storico-
artistico e documentario.

Marianna Elmo
La fuga in Egitto
firmato e datato 1752
sete policrome, fili d'argento, fili
d'argento dorato, stoffa di seta dipinta a
tempera, incollate con pece greca su
cartone; 45 x 71
prov.: acq. Bonghi (1872)
inv. 643
La *serigrafia* è tratta da una incisione
di Robert Audenaerde derivata da un
dipinto di Carlo Maratta nella chiesa di
Sant'Isidoro a Roma.

168

Gaetano Ognibene
La separazione di Luigi XVI dalla sua famiglia la notte del 29 settembre 1792
fine XVIII secolo
collage eseguito con stoffe di seta ermesino, raso, faglia; lamina d'argento a sbalzo incollati con pece greca su carta color bianco lievemente paglierino dipinta ad acquarello; 32 x 44,5

prov.: acq. Guida (1911)
inv. 13095
L'episodio, già parte di una serie commemorativa della tragica fine della Famiglia reale francese, è tratto con qualche semplificazione da una incisione di Jean-Baptiste Vérité, stampata a Coblenza presso Pierre Elfevier e derivata da un dipinto di Charles Bénazech.

La sezione dell'"Ottocento napoletano"

Come per la sezione storica e quella dedicata al teatro, anche le collezioni dell'Ottocento, secondo i comuni intenti di Fiorelli e Spinazzola, nascono per avvalorare gli aspetti più significativi della documentazione, della vita e degli avvenimenti storici di Napoli e del Mezzogiorno d'Italia.

Motivo per il quale, dall'anno di fondazione del museo (1866), fino agli albori del nuovo secolo, non esiste una rigida distinzione tra i vari settori della documentazione. I dipinti dell'Ottocento, insieme alle sculture e al resto degli oggetti d'arte "minore", entrano a far parte del nucleo patrimoniale del costituendo museo per il progetto complessivo di una grande raccolta storica.

Perseguendo tale orientamento, nel 1873 e nell'1884, saranno trasferiti svariati dipinti dal Museo Nazionale tra i quali *La Presa di Capri* di Odoardo Fischetti e *La Mostra industriale alla sala Tarsia* di Salvatore Fergola. Secondo tale ottica di incremento verranno favorite tutte le iniziative utili ad incoraggiare le condizioni di acquisto e donazioni da parte di privati. Tra le più importanti, si segnala la committenza affidata a Vincenzo Migliaro, nel 1887, di sei tele che documentano luoghi di Napoli "destinati a scomparire per effetto delle opere del Risanamento".

Gli acquisti realizzati tra il 1898 e 1901 seguono il duplice interesse di carattere iconografico-documentario. Per ricordare alcuni dei dipinti più importanti alle rievocazioni del Risorgimento italiano, ad esempio, compaiono il dipinto di Vincenzo Montefusco, *Luigi Settembrini al carcere di Santo Stefano* e l'*Autoritratto* di Saverio Altamura.

Ma compaiono anche dipinti di interessante documentazione topografico-paesistico-ambientale nonché storica e folclorica come nel caso di diversi acquerelli di Carelli e Lanza e per alcuni dipinti di Smargiassi, Mancinelli e Michetti.

I criteri con i quali si andava promuovendo tale scelta, come documenta Spinazzola nel 1901, non sempre favorivano la qualità delle singole opere anche se accrescevano il valore storico-documentario della struttura portante del nuovo museo. Ciò non vuole escludere che a San Martino non venissero acquistati dipinti di grande qualità, come nel caso di tre capolavori provenienti dalla smembrata collezione del barone Vonwiller, venduta

all'asta a Parigi nel 1901, ma sicuramente la scelta orientativa sulla straordinaria raccolta napoletana che si stava disperdendo all'epoca, fu operata decisamente per mediazione dell'antiquario Canessa, a favore di tre opere di particolare valenza iconografica: *Il 15 Maggio 1848*, di Francesco Netti; *Il terremoto di Torre del Greco*, di Michele Cammarano, ed un acquerello di Gigante: *La tomba di Caterina d'Austria*.

Per il nuovo assetto museale furono decisivi i trasferimenti di beni di proprietà del Comune di Napoli, effettuati tra il 1901 e il 1904, di alcune opere storiche del nostro Risorgimento: *Carlo Poerio condotto al patibolo*, di Nicola Parisi, e *Le Stragi di Altamura*, di Michele Cammarano, restituite in anni recenti.

Tra il 1904 e il 1910 anche due grandi raccolte incrementano decisamente la collezione dell'Ottocento: la donazione Gaetano Forte e l'acquisto Fizzarotti, erede dei Cammarano, (un *corpus* di documenti teatrali, manoscritti e 85 dipinti tra i quali, soprattutto, bozzetti di Giuseppe Cammarano).

Nel 1910 viene alla luce la prima guida del museo di Spinazzola ordinata secondo l'itinerario storico-topografico indicato secondo il materiale acquisito fino a tale data. Nello stesso anno viene pubblicato anche un opuscolo di Mario Morelli dedicato all'*Arte moderna nel Museo Nazionale di San Martino*.

Funzionario del museo e direttore dal 1912, egli promuove intensivamente un diverso accrescimento delle raccolte tralasciando le direttive impresse da Spinazzola. Il museo accresce in qualità i suoi nuclei, soprattutto con alcune delle più note collezioni private di Napoli. Prima fra tutte, quella dei fratelli Rotondo, oggetto della pubblicazione prima citata che, dal 1911, lega al museo un centinaio di dipinti e sculture tra i quali alcuni capolavori di Francesco Paolo e Quintilio Michetti e Vincenzo Gemito.

Poi la donazione Ferrara Dentice, nel 1929, che consta anche di trecento acquerelli e disegni di Giacinto Gigante. Tra il secondo e il terzo decennio del secolo, al tempo della direzione Morelli, saranno favoriti acquisti di opere tramite il contatto con gli eredi di alcuni artisti: Vervloet, Gigante e Mattej, e tramite le proposte di vendita del mercato privato (Salvatore Di Giacomo, Canessa, Menotti Bianchi).

Infine, la donazione Gamberini, del 1932, costituita da circa duecento opere di artisti del secondo Ottocento che avrebbe completato, con materiali di più modesta portata, a confronto della collezione Rotondo, il progetto utopistico di una "Galleria d'arte moderna a Napoli".

Il tentativo di dare spazio a questa singolare iniziativa sarà sacrificato per i complessi problemi di ordinamento museale man mano che San Martino vedeva accrescere il suo patrimonio. Anche la più significativa donazione Rotondo, esposta al pubblico nel 1916, dovrà subire svariate traversie, prima a causa della guerra e poi per le successive trasformazioni in atto al Museo di San Martino e a Capodimonte all'epoca della direzione Molajoli.

Attualmente, dopo le grandi trasformazioni del "Quarto del Priore" e degli ambienti delle sezioni storiche, le collezioni dell'Ottocento attendono un definitivo riallestimento.

Antonio Mancini
Il Prevetariello
olio su tela; 66x53
prov.: dono Rotondo (1911)
inv. 13645

172

Vincenzo Gemito
Il Malatiello
1870
terracotta; h. 28
prov.: dono Rotondo (1911)
inv. 13651
Una grande invenzione formale e di
pensiero, un lampo di umanità attenta,
del tutto libera da facili sentimentalismi
e da suggestioni colorite che il tema
poteva suggerire.
Attraverso opere come questa Gemito,
assieme ad Antonio Mancini, ci regala
alcune tra le migliori prove dell'arte
italiana del secondo Ottocento.

Vincenzo Gemito
Testa di popolana
1875-80
terracotta; h. 39
prov.: dono Rotondo (1911)
inv. 13653
Questa testa espressiva e dolente

conferma la capacità dell'artista nel rendere l'interiorità umana attraverso un *ductus* plastico sensibilissimo, vibrante ma controllato al tempo stesso. Una suggestione di bellezza classica si materia in un modello vissuto, concentrato, nobilissimo.

Vincenzo Migliaro
Strettoia degli Orefici
firmato e datato 1889
olio su tela; 49x65
prov.: acq. (1889)
inv. 5061

Domenico Morelli
La moglie di Putifarre
firmato
olio su tela; 60x72
prov.: dono Rotondo (1911)
inv. 13609

Domenico Morelli
Le Marie al Calvario
firmato
olio su tela; 71x97
prov.: dono Rotondo (1911)
inv. 13604

Filippo Palizzi
Studio di rocce
firmato
olio su tela; 24x43
prov.: dono Minervini (1978)

Francesco Paolo Michetti
Pastorelli d'Abruzzo
firmato
olio su tela; 37x26
prov.: dono Rotondo (1911)
inv. 13619

Teofilo Patini
*Ritratto del filosofo Bertrando
Spaventa*
firmato
olio su tela; 134x108
prov.: dono Giuseppe Gironda di
Canneto (1940)
inv. 16307

180

Michele Cammarano
Il terremoto di Torre del Greco del
1862
firmato
olio su tela; 55x78,5
prov.: collezione G. Vonwiller
(acq. 1901)
inv. 7526

Antoon Sminck Pitloo
Tempio di Venere a Baia
olio su tela; 26x32
prov.: dono Rotondo (1911)
inv. 13722

Giacinto Gigante
Panorama di Napoli dalla Conocchia
firmato
olio su tela; 71x100
prov.: acq. E. Manetta (1917)
inv. 13767

Marco De Gregorio
Pomeriggio nel parco
firmato
olio su tela; 15x19
prov.: dono Casciaro (1941)
inv. 16316

Giovan Battista Amendola
Gioacchino Murat
gesso; h. 193
prov.: dono Giuseppe Amendola (1909)
inv. S.N.
È il bozzetto a grandezza naturale per la
statua in marmo del re di Napoli
Gioacchino Murat, eseguita dallo stesso
Amendola per la facciata del Palazzo
Reale.

Achille d'Orsi
Salvator Rosa
1871
gesso bronzato; h. 165
prov.: collezione d'Orsi (acquisto 1899)
inv. 6247
Lavoro giovanile, presentato nel 1871
alla Mostra della Promotrice di Belle

Arti. È il bozzetto a grandezza naturale
per un monumento a Salvator Rosa
fuso moltissimi anni dopo, postumo al
suo autore, e messo in opera nel
febbraio 1933 in piazza Arenella.
Un'altra versione in gesso si conserva
all'Accademia di Belle Arti di Napoli.

La sezione grafica

Un atto di fede fu quello che fece convergere già negli ultimi decenni dell'Ottocento nel giovane museo concatenato al complesso certosino donazioni, legati, acquisti. Per i disegni era tabula rasa. Gli incrementi di maggiore e di minore rilievo servirono tutti, alla fine, a formare una collezione grafica – 9964 disegni, 7707 stampe – di grande entità, di tutto rispetto. È giusto, pertanto, che se ne tracci partitamente la storia.

Si iniziò con il dono di uno studioso toscano, l'abate Masseangelo Masseangeli nel 1873: 187 tra piante, disegni di architetture, schizzi di figure e di paesaggi di Gaspar van Wittel e di Luigi Vanvitelli. Le carte sono firmate dal primo direttore del museo, Giuseppe Fiorelli. Nel 1882 l'Istituto di Belle Arti di Napoli dona 24 disegni di Luigi e, tra il 1884 e il 1886, la signora Maria De Miranda Capocelli vende allo Stato 144 disegni dello stesso. Fiorelli dichiara che il Museo di San Martino «per le condizioni del suo bilancio» potrà acquistare solo cinque dei 17 fogli attribuiti a Gaspare, «di stupenda fattura e di grande merito». È così che nel corso di tredici anni si costituisce un fondo vanvitelliano di grande qualità per la bellezza dei fogli e per l'interesse topografico. Nel 1925, con l'acquisto Ciardiello, il fondo sarà incrementato da altri 25 fogli di Luigi. Nel 1933, ad eccezione di un gruppo di fogli di Gaspar van Wittel, la collezione si trasferisce nel Palazzo Reale di Caserta, avendo in animo il soprintendente del tempo Gino Chierici di costituire un museo vanvitelliano che non fu mai più realizzato. È ovvio pensare che, volendosi presentare il Museo di San Martino come coacervo di manufatti artistici regionali, alla omogeneità delle collezioni si preferisse un panorama il più possibile ampio e curioso, documentario e decorativo a un tempo: non sembrò male, quindi, smembrare il fondo vanvitelliano per acquisire altri oggetti, tra cui il *Presepe* in corallo di arte trapanese del Settecento. Si pensi, inoltre, che era la Regia Soprintendenza, a quei tempi, a raccogliere in un solo alveo burocratico tutto il patrimonio pubblico di Napoli e della Campania. Pertanto l'aggregazione e la disgregazione dei fondi restava, per così dire, in famiglia, legata a storiche appartenenze o a logiche affinità culturali tra contenenti e contenuti. Il Novecento si apre nel 1901 con l'acquisto del fondo di Antonio Niccolini: 947 tra acquerelli e disegni dell'artista, di cui 306 riguardano il teatro San Carlo. Acquisizio-

ne di gran pregio, alternandosi ai progetti ed agli schizzi, scenografie brillanti di bel risultato decorativo. La collezione comprende, inoltre, 90 costumi popolari di Alessandro D'Anna e disegni di Fuga, Medrano, Bianchi, Chelli e Genovese. Nel 1903 l'antiquario Oreste Fallani dona tre disegni attribuiti a Micco Spadaro, relativi alla rivoluzione di Masaniello: chiaro segno che il museo già si configura nella coscienza nazionale come raccolta di testimonianze storico artistiche legate alla città.

Nel 1907-08, con l'acquisto Sparice, entrano nel museo 78 stampe "napoletane" e 72 disegni di Gaetano Genovese. E nel 1908 si costituisce il primo nucleo ottocentesco con l'acquisto Petroni: 401 disegni, da Antonio Pitloo ai Palizzi. Nel 1910 Anna Fizzarotti Cammarano vende allo Stato 77 tra pastelli e disegni di Giuseppe Cammarano, più due album di 124 e 38 fogli: fondo di grafica neoclassica con autografi dell'artista, ma anche con opere della sua collezione e del suo stesso *milieu*, come Giovan Battista Dell'Era e Costanzo Angelini. L'anno seguente la cospicua donazione dei fratelli Beniamino e Paolo Rotondo, destinata al museo, conta 54 fogli di Francesco Paolo e Quintilio Michetti, mentre la donazione del commendatore Ernesto Ricciardi nel 1920-21 consta di 164 disegni e di 317 stampe di autori vari, anche anonimi, ma di grande interesse documentario. Pervengono elaborati di artisti napoletani e non, operanti a Napoli e dintorni: è il caso di due album contenenti 1054 disegni del raro e sottile belga Francis Vervloet, acquistati nel 1915 dalla Librairie T. De Marinis di Firenze. E nel 1921 Salvatore Di Giacomo vende al Museo quattro disegni di Raffaele Carelli ed uno di Vianelli. È così costituito, a questo punto, un altro fondo parallelo a quello "moderno" della raccolta Ferrara Dentice, relativo alla Scuola di Posillipo.

È nel 1929, infatti, che per le collezioni grafiche del museo si apre un glorioso capitolo di mecenatismo che avrà, in anni più recenti, l'eguale nella donazione di Angelo Astarita. O, in tutt'altra direzione, nella donazione di Mario De Ciccio, entrambe destinate al Museo di Capodimonte. Enrico Ferrara Dentice – testa nel 1906 e muore nel 1907 – lascia allo Stato la sua cospicua raccolta di disegni e di stampe, legato che per alterne ed intricate vicende sarà ufficializzato soltanto nel 1934. I disegni sono 2768 e le stampe 3057: di queste, 472 sono conservate in 11 album. Il legato Ferrara Dentice assume un preciso significato per la omogeneità della raccolta rigorosamente limitata alla grafica, dando spazio anche agli antichi, laddove le acquisizioni future saranno, per lo più, relative ad elaborati del secolo decimonono. Esemplari che vanno dal XV al XIX secolo, con una singolare apertura di raggio non solo sui napoletani, ma anche sulle altre scuole, fornendo un panorama eterogeneo di quattro secoli di grafica. Inoltre il Ferrara Dentice, avendo svolto dal 1898 al 1901 funzioni di legato a Copenaghen, ha la possibilità di acquistare sul luogo circa 550 fogli di artisti danesi, badando, piuttosto che al livello qualitativo dei pezzi, all'accrescimento della sua collezione. Fogli che hanno avuto negli anni ottanta un catalogo sistematico a cura di Minna Heimburgher, finora l'unico, laddove per gli altri disegni del museo gli studi risultano saltuari, occasionali, e più frequentati i settori del paesaggio e dei costumi, della architettura e della scenografia. Fu Sergio Ortolani — allora direttore del Museo Nazionale cui originariamente il donatore aveva destinato la sua raccolta — a dare ai disegni una prima collocazione scientifica che il più delle volte risulta centrata, in ispecie per quei pittori verso i quali nutriva una spiccata predilezione: da van Wittel alle colonie straniere operanti a Napoli, fino alla Scuola di Posillipo e a Giacinto Gigante. E nel legato si costituiscono bene i gruppi: oltre ai danesi e ai napoletani, i fogli di Corrado Giaquinto (c. 92) e di Giacinto Gigante (348). Una eredità, quella di Ortolani, che fu lesto a cogliere venti anni dopo Raffaello Causa, dando inizio ai suoi studi sulla grafica proprio con il fondo della Ferrara Dentice ed esponendo, in tre rassegne mensili nel Museo di San Martino (1953), i fogli più rappresentativi, dal Cinque all'Ottocento.

Il dono di Federico Postiglione del 1942-44 conta 137 disegni di Raffaele Postiglione; il dono di Ernesto Ricci nel 1945 quarantadue stampe. Nel 1957 giungono al museo 100 fra tempere, acquetinte, incisioni, litografie, acquerelli e stampe, tutti riguardanti il Vesuvio: magnifico donativo di Aldo Caselli, trapiantato alla Università di Haverford negli Stati Uniti: «il gesto del dottor Caselli — scrive Doria — è tanto più encomiabile in quanto egli non è napoletano ma genovese e tuttavia legato alla nostra città da profondo e sincero affetto». Il dono Jovinella

nel 1958 si fa parimenti interessante per il suo aspetto univoco: 3 album con 414 tra "schizzi, primi segni, abbozzi e composizioni a matita a penna e a carbonella", eseguiti dal pittore Tommaso De Vivo: fogli sfusi del pittore compaiono in altri fondi del patrimonio grafico del museo. Nel 1959 il dono di Pia Selmo Torelli riguarda schizzi e disegni dell'Ottocento (31) e quello dell'architetto Domenico Morelli 847 disegni di Paolo Vetri. Nel 1962 vengono acquistati dall'antiquario Attilio De Gregorio 24 disegni di paesaggisti napoletani; nel 1964-67 il dono di Ofelia Abignente Preziosi consta, tra l'altro, di 2 disegni e 2 pastelli di Michetti e 3 pastelli di Giovanni Abignente. Nel 1967 lo Stato acquista dalla signora Petrosino Spirito due album: uno con 36 disegni di Raffaele Ragione, l'altro con 135 disegni di Edoardo Dalbono, tutti della collezione del pittore Geppino Spirito. Nel 1975 Gino Doria lascia 107 disegni e 388 stampe al museo che egli aveva diretto, su proposta di Croce, dal 1945 al 1961. Nel 1993, infine la Soprintendenza ha acquistato un foglio di Luca Giordano che copia alla sua maniera una delle lunette dipinte da Giovanni Lanfranco nella chiesa della Certosa.

Da questa così fitta prosecuzione di donazioni e di acquisti si colgono due elementi principali: essere le collezioni di grafica del museo non 'storiche', ereditate dalla Certosa o dal Comune (come il fondo dell'abate Cuomo nella Società Napoletana di Storia Patria), bensì dovute ai cittadini napoletani e non, di buona volontà e di buona cultura, che hanno creduto fermamente nella funzione del museo in generale, e a quella di San Martino in particolare, come dimora stabile per collezioni pazientemente costituite, nel timore che altrove andassero disperse e con esse, spesso, le testimonianze di una o più vite di artista. Si coglie anche, attraverso le carte di archivio, lo stato di economia precaria in cui versavano già nell'Ottocento e nel Novecento le Soprintendenze, che sollecitavano ma ritardavano le operazioni di acquisto, i direttori del museo che tiravano sul prezzo, rateizzavano le cifre, nascondevano con garbo le loro scarse possibilità. Si coglie, infine, oltre alla battuta di arresto della guerra, il dato più chiaro e patente: il distacco progressivo dalle proprie cose con l'effetto della dispersione generale delle raccolte. E la poca fede che ormai accompagna non già il concetto del museo, ma quello della collezione privata che tende a non più costituirsi, per tramutarsi in altri e meno contemplativi beni di consumo.

Giovanni da Udine
*Studi di pappagalli e di una fascia
decorativa*
inchiostro bruno su carta avorio;
265x190 mm
prov.: collezione Ferrara Dentice (1934)
inv.: 20370
Nell'*atelier* di Raffaello Giovanni da
Udine era lo specialista di piante e di
animali, che compaiono nella
decorazione dei pilastri delle Logge
Vaticane. Il disegno è studio per il VII
pilastro, detto dell'Uccellatore. I
pappagalli erano tra gli animali inviati
come donativo americano dal re
Emanuele del Portogallo al papa Leone
X nel 1514, data che si pone, pertanto,
come termine *ante quem non*.

188

Massimo Stanzione
Annunciazione
carboncino, inchiostro ed acquerello su
carta avorio; 212x184 mm
prov.: collezione Ferrara Dentice (1934)
inv.: 20372
È studio preparatorio per la tela della
chiesa della Annunciata a Marcianise,
firmata e datata 1655. Rispetto all'altra
Annunciazione della chiesa di Santa
Maria Regina Coeli, documentata al
1640, questa rivela ricchezza di motivi
decorativi e concitazione barocca,
preludio alle solenni pale di Angelo e
Francesco Solimena.

Mattia Preti
Angelo che porta il modello di una nave
carboncino, sanguigna ed acquerello su carta avorio; 204x135 mm
prov.: collezione Ferrara Dentice (1934)
inv.: 20715
È studio preparatorio per la decorazione della navata della chiesa di San Giovanni a La Valletta, precisamente per un particolare del riquadro della quarta campata. L'angiolone discinto e stravolto, tracciato con linee forti e spezzate, par quasi un uomo destinato a compiere, con fatica, dettami celesti.

190

Bernardo Cavallino
Bacco
carboncino su carta avorio; 304x260 mm
prov.: collezione Ferrara Dentice (1934)
inv.: 20746
Pienamente concordante con i diafani
preziosismi dei dipinti è lo stile grafico
dell'artista, volto ad abbandonare le
istanze apertamente naturalistiche della
Scuola napoletana. Vi si nota la
predilezione per nudi esangui di santi e
martiri, le membra vibranti tese fino
allo spasimo, di ascendenza certo
riberesca.

Luca Giordano
Riposo nella fuga in Egitto
sanguigna e inchiostro seppia su carta
avorio; 189x164 mm
prov.: collezione Ferrara Dentice (1934)
inv.: 20591
Brillante interprete dei maestri del
passato, l'artista appena delinea le
figure tornite, raggiungendo risultati
collegati alla tradizione e tuttavia
presaghi della più moderna stagione
barocca. In questo foglio la libertà di
tratto concatena in unica soluzione
scenica i tre personaggi. Databile
intorno al Sessanta.

192

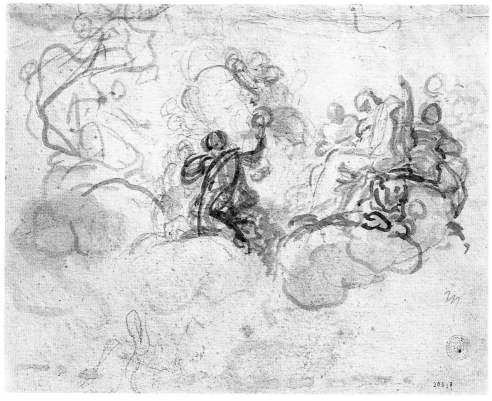

Alla pagina precedente:
Gaspar van Wittel
Strada di Pozzuoli
Firmato e datato 1701.
matita e inchiostro nero con acquerello
grigio e blu; 370x495 mm
prov.: collezione Ferrara Dentice (1934)
inv.: 23905
I fogli eseguiti dall'artista nei suoi
soggiorni napoletani, documentati dal
1699 al 1701, costituiscono i

raggiungimenti più alti e più antichi
del vedutismo italiano.

Francesco Solimena
La sconfitta di Dario
carboncino, inchiostro e acquerello su
carta avorio; 180x257 mm
prov.: collezione Ferrara Dentice (1934)
inv.: 20518
È studio preparatorio per il dipinto
commissionato nel 1735 all'artista per

la decorazione della Sala del Trono di
Filippo V alla Granja, oggi all'Escorial.
A dire del Solimena, è uno dei "disegni
a macchia colorita" necessari «a
schiccherare su carta i primi motivi,
essendo il soggetto di somma
riflessione». Altri due studi per la stessa
composizione sono a San Martino (inv.
20881) e alla Rhode Island School of
Design di Providence (inv. 57.134).

Gaspare Diziani
Sacra Famiglia con san Francesco da Paola
inchiostro, bistro e sanguigna su carta avorio; 222x292 mm
prov.: collezione Ferrara Dentice (1934)
inv.: 20639

Studio preparatorio per una paletta di soggetto omonimo, conservata in collezione privata ad Udine, databile intorno al Quaranta. Il disegno è stato sempre studiato in area napoletana; la giusta attribuzione all'artista veneto si deve nel 1980 a Bernard Aikema.

Luigi Vanvitelli
Scena di porto
matita, inchiostro e acquerello su carta avorio; 196x261 mm
prov.: collezione Ferrara Dentice (1934)
inv.: 20895
Il disegno è certamente autografo, poiché l'artista vi ha apposto la scritta "di Luigi Vanvitelli una Scena". Scena non architettonica ma vedutistica e quindi legata ai pensieri paterni: databile al decennio romano 1730-40.

Corrado Giaquinto
Il compianto di Venere
sanguigna su carta colorata; 329x270 mm
prov.: collezione Ferrara Dentice (1934)
inv.: 20723
Nel consistente gruppo di fogli
dell'artista di proprietà del Museo è uno
di quelli che meglio prelude al percorso
grafico napoletano della seconda metà
del secolo. Studio preparatorio per un
particolare dell'affresco con *La morte
di Adone*, eseguito a Torino nel 1733.

196

20723

Pierre Jacques Volaire
Paesaggio con pescatore
matita, inchiostro e acquerello grigio;
229x286 mm
prov.: collezione Ferrara Dentice (1934)
inv.: 19764
Dei fogli napoletani di Volaire è tra
quelli improntati ad un libero
pittoricismo e più vicini al cospicuo
gruppo conservato alla Achenbach
Foundation di San Francisco ed al
Louvre.

Wilhelm Tischbein
La forza dell'uomo
matita e inchiostro seppia su carta
quadrettata; 485x377 mm
prov.: collezione Ferrara Dentice (1934)
inv.: 19457
Il disegno è opera paradigmatica per la
comprensione del classicismo

dell'artista tedesco: di esso parla Goethe
nel *Viaggio*, il 7 novembre 1786. Due
redazioni più finite dello stesso tema
sono conservate nei musei di Hannover
e di Oldenburg, la seconda firmata e
datata. «W. Tischbein del. Neapel
1790».

198

Anton Sminck van Pitloo
Baia di Pozzuoli
matita su carta avorio; 184x275 mm
prov.: collezione Ferrara Dentice (1934)
inv.: 19468
Dal 1815 operante a Napoli, è il
fondatore della Scuola di Posillipo. Si
deve a lui la ricerca del paesaggio puro,
la vibrazione della luce nell'aria e un
segno sintetico, arruffato e contorto, che
nulla concede al descrittivismo.

Alla pagina seguente:
Felice Giani
Allegoria del Tempo
inchiostro su carta avorio; 201x273 mm
prov.: collezione Ferrara Dentice (1934)
inv.: 19495
Il foglio è tipico di questo artista che,
pur frequentando le correnti e i temi più
disparati di cultura accademica, si
mostra autonomo e quindi riconoscibile
per la sua vena popolare ed ironica nel
trattare temi mitologici e storici.

Giacinto Gigante
La grotta di Pozzuoli
matita, acquerello grigio e cilestrino su
cartoncino avorio; 350x260 mm
prov.: collezione Ferrara Dentice (1934)
inv.: 18940
Gigante porta il paesaggio lirico di
Pitloo verso le più spericolate fantasie
romantiche. L'uso dell'acquerello
accelera la cancellazione del dato
vedutistico per una libera
interpretazione soggettiva e visionaria.

La sezione teatrale

Nel 1901, nell'assetto dato al Museo di San Martino da Vittorio Spinazzola, figurava per la prima volta un settore dedicato al teatro. Nato come sezione di ricordi del teatro popolare napoletano, con un orientamento culturale che molto doveva a Croce e Di Giacomo, esso costituisce oggi, grazie agli apporti che l'hanno arricchito nel tempo, un insostituibile punto di riferimento per la ricerca, con oltre millecinquecento testimonianze figurative e storiche sul teatro napoletano, musicale e di prosa, dal Settecento al Novecento. Vi si distingue la raccolta Niccolini, cospicuo *corpus* grafico relativo alla storia artistica e istituzionale del teatro San Carlo, voluto da Carlo di Borbone come tempio del dramma in musica: riguarda soprattutto l'opera dell'architetto e scenografo Antonio Niccolini, che riedificò il teatro dopo l'incendio del 1816. Numerosissimi disegni di progetto – "acquerelli di prospettiva", piante, adattamenti, scenari, particolari decorativi e di figura che costituiscono un raffinato repertorio di elementi figurativi neoclassici applicati all'architettura teatrale – insieme con alcune stampe, illustrano la complessa vicenda architettonica del San Carlo, dalla pianta settecentesca disegnata da Giovanni Antonio Medrano sino alle riflessioni urbanistiche di Gaetano Genovese nel secolo successivo; sono rappresentate le idee fondamentali e i ripensamenti progettuali attraverso i quali Niccolini giungerà alle soluzioni finali per la ricostruzione dell'edificio, realizzato in piena adesione ad un linguaggio neoclassico misurato e funzionale, che si può individuare soprattutto nell'ariosa facciata. Niccolini, dal 1806 a Napoli con l'incarico di scenografo per i teatri della città, fu punto di riferimento costante per il San Carlo anche come direttore delle scene e diresse, a partire dal 1816, la Real Scuola di Scenografia: centinaia di bozzetti della raccolta Niccolini testimoniano di questa attività. Si tratta di disegni, talvolta acquerellati a tutto effetto, e di schizzi di studio che documentano ampiamente una delle stagioni più felici della scenografia napoletana, quella dei primi decenni dell'Ottocento.

Il museo conserva altre testimonianze di scenografi attivi al San Carlo: il *Ritratto dell'architetto Domenico Chelli* dipinto da Gaetano Forte (olio su tela) e numerose stampe raffiguranti scenografie, con alcune incisioni di Vincenzo Re e svariate litografie di Pasquale Canna.

Le stampe raffiguranti gli apparati allestiti in città in occasione di feste – effimere teatralizzazioni del territorio urbano – rappresentano ulteriormente l'arte della "decorazione teatrale".

L'intensità e l'importanza della musica teatrale a Napoli durante il Settecento e l'Ottocento è confermata dalla presenza di numerosi ritratti di musicisti: *Domenico Cimarosa*, di Francesco Saverio Candido (olio su tela); *Saverio Mercadante*, di Andrea Cefaly (olio su tela); *Nicola Zingarelli*, compositore e dal 1813 direttore del Real Collegio di Musica (dipinto ad olio su tela da Costanzo Angelini); *Vincenzo Bellini*, attribuito a Giuseppe Cammarano (olio su tela); il ritratto del *Violinista Festa*, direttore d'orchestra del San Carlo dal 1816 (olio su tela attribuito a Giuseppe Cammarano); e quello del cantante *Luigi Lablache*, che fu il più celebre basso buffo dell'Ottocento (olio su tela di François Bouchot). Molti manoscritti ed alcune partiture musicali, custoditi nell'Archivio Storico, integrano le testimonianze figurative.

Il primo nucleo che costituì la sezione teatrale al suo sorgere è quello che riguarda il San Carlino, famoso teatrino della commedia napoletana sito in piazza del Castello, abbattuto per motivi urbanistici nel 1884. Fu esso una vera e propria scuola di teatro in cui si formarono intere generazioni di attori, dai Cammarano ai Petito sino a quella nuova maschera piccolo-borghese che fu il "Don Felice Sciosciammocca" di Scarpetta. Momenti salienti di questa storia del teatro comico popolare e piccolo-borghese napoletano sono testimoniati dai ritratti di attori della famiglia Petito, dalla *maschera da Pulcinella di Antonio Petito* e dal ritratto di *Eduardo Scarpetta nei panni di Felice Sciosciammocca* (olio su tela firmato da A. Fabry).

Varie acquisizioni hanno arricchito nel tempo la raccolta relativa al teatro comico. Il fondo Fizzarotti, acquistato nel 1909, assicurò al museo disegni, manoscritti ed altro materiale riguardante la famiglia Cammarano: basti citare la settecentesca *maschera da Pulcinella* appartenuta a Vincenzo, il famoso Giancola capostipite della famiglia; i preziosi autografi di Filippo e Salvatore – commediografo il primo, poeta e librettista il secondo – e i disegni di Giuseppe, tra cui quello che raffigura *Giancola*, unica immagine originale rimastaci del grande Pulcinella.

Michele Foschini
Interno del teatro San Carlo
1762 ca.
olio su tela; 77x49,5
prov.: dono Rosebery (1934)
inv. 23908
Il dipinto riproduce l'aspetto
settecentesco della sala teatrale. Pittore
di tele ed affreschi, in prevalenza di
argomento sacro, Foschini documenta
con intenti celebrativi, tra la fine degli
anni Trenta e i primi anni Sessanta,
avvenimenti pubblici e momenti della
vita di corte, rivelando un interesse di
carattere storico per la resa d'ambiente.

202 Il fondo Cuocolo, costituito da circa ottanta grandi fotografie colorate di notevole fascino evocativo, tratte in buona parte da immagini più antiche, possiede un innegabile valore documentario, restituendoci i volti degli attori, autori ed impresari del San Carlino fin dalla seconda metà del Settecento.

Quattro acquerelli di Pier Leone Ghezzi, alcune terrecotte e porcellane, le due maschere citate e quella appartenuta a Giuseppe De Martino – successore di Antonio Petito nel ruolo di Pulcinella al San Carlino – sono significative dell'evoluzione della maschera partenopea dal Settecento alla fine dell'Ottocento.

Ulteriori aspetti e momenti della storia del teatro napoletano sono rappresentati: da due busti in terracotta raffiguranti *Raffaele Viviani*, uno di Vincenzo Gemito – attualmente al Museo di Capodimonte – e l'altro di Saverio Gatto; dall'intenso *Ritratto di Ferdinando Russo*, olio su tela di Vincenzo Irolli; da due *Ritratti di Salvatore Di Giacomo*; e da un nucleo di fotografie appartenute al pittore e critico Paolo Ricci, tra cui alcune che ritraggono *Eduardo De Filippo* e il *Teatro San Ferdinando*, da lui ricostruito negli anni Cinquanta.

Un cenno a parte merita un cospicuo fondo inerente l'*Opera dei Pupi*: numerose *marionette* di manifattura napoletana si aggiungono a più di quattrocento tra *scenari* e *manifesti*, dipinti a tempera con moduli espressivi elementari ma efficaci; insieme con i copioni manoscritti conservati nell'Archivio Storico, ci restituiscono immagini e testi di alcune tra le storie più rappresentate dai pupari napoletani, comprendendo, accanto ai cicli cavallereschi comuni alle aree siciliane e calabro-pugliesi, quelli dei "guappi" della cosiddetta "Napoli Antica".

Antonio Niccolini
La nuova facciata del teatro San Carlo
1809
acquarello; 65,2x49
prov.: acq. Niccolini (1901)
inv. 8033
Il disegno illustra una delle soluzioni proposte dall'architetto: le carrozze che percorrono il portico sottolineano una scelta funzionale in accordo con la orizzontalità del prospetto. Il foglio fa parte di un album di dieci tavole intitolato "Piano della nuova Fabbrica da erigersi all'ingresso del R. Teatro di San Carlo".

Francesco Saverio Candido
Ritratto di Domenico Cimarosa
firmato e datato 1785
olio su tela; 128x101
prov.: acq. Aurelio Cimarosa (1873)
inv. 1103
Il pittore, di origine siciliana, ritrae
Cimarosa nell'atto di comporre seduto
al cembalo. Il compositore aversano, a
quest'epoca, aveva da poco raggiunto la
notorietà e si sarebbe imposto in breve
tempo al di fuori dei confini italiani.

Manifattura napoletana, fine XVIII
secolo
Maschera del Pulcinella Giancola
cuoio modellato e dipinto; h. 19
prov.: acq. Anna Fizzarotti (1909)
inv. 12425
Vincenzo Cammarano detto Giancola,
giunto a Napoli dalla Sicilia nel 1764,
fu acclamatissimo Pulcinella al teatro
San Carlino, dal 1770 al 1802, e
capostipite di una numerosa famiglia
variamente legata al teatro, alla
letteratura, alla musica e alla pittura.

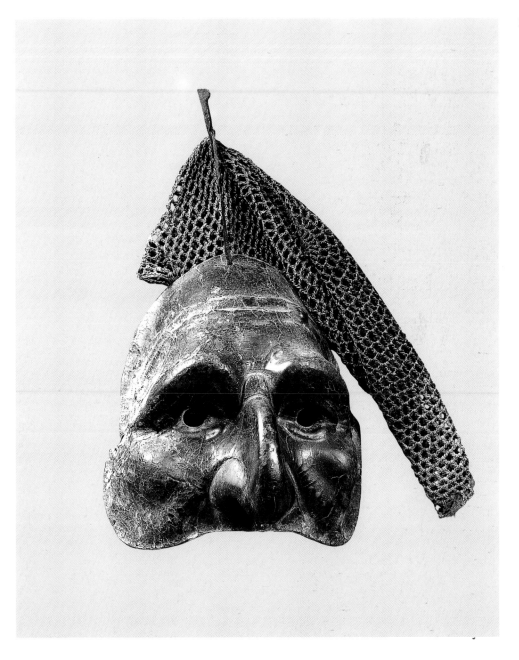

Michele Castiglione
Plastico del teatro San Carlino in demolizione
fine XIX secolo
sughero; 33x45x32
prov.: dono Eduardo Scarpetta (1898)
inv. 5921

Nel maggio 1884 l'edificio di cui era parte il teatro San Carlino fu demolito insieme con molte altre costruzioni della vecchia piazza del Castello, ormai piazza del Municipio. Il teatrino, che era stato per più di un secolo tempio dell'arte comica napoletana, venne subito mitizzato dalla cultura contemporanea, come dimostrano non solo la documentazione fotografica dell'esterno (mentre mancano immagini dell'interno), ma soprattutto la pubblicazione, nel 1891, della "Cronaca del teatro San Carlino" di Salvatore Di Giacomo, diventata nelle successive edizioni "Storia del teatro San Carlino 1738-1884".

206

Ignoto puparo napoletano
Pupo raffigurante guerriero cristiano
XIX-XX secolo
legno intagliato, rame sbalzato, tessuto;
h. 106
prov.: dono Istituto Autonomo Case
Popolari della Provincia di Napoli
(1979)
inv. S. N.

L'esemplare fa parte di un gruppo
appartenuto ad un ignoto puparo della
prima metà del nostro secolo, fittuario
di un locale di proprietà dell'Istituto
Case Popolari nel quale, alla sua morte,
lasciò i pupi, i cartelloni ed i copioni
donati successivamente dall'Ente
napoletano al Museo.

Ignoto puparo napoletano
Cartellone per l'Opera dei Pupi
XIX-XX secolo
tempera su carta; 284x233
prov.: dono Istituto Autonomo Case
Popolari della Provincia di Napoli
(1979)
I cartelloni, dipinti a forti tinte ed
esposti all'esterno del teatro, avevano il
compito di suscitare le aspettative del
pubblico esibendo ed esagerando i
momenti *clou* della vicenda (in questo
caso la storia di Giovanni della Croce).

Alla pagina seguente:
Arte paleocristiana, IV-V secolo *d.C.*
*L'adorazione dei Magi col
Monogramma del Cristo ed i santi
Pietro e Paolo*
marmo, mosaico; 56,5 x 96 x 5,5
prov.: Teano (acq. Mazzoccolo 1906)
inv. 10362

La lastra marmorea sagomata sul verso,
lungo l'orlo, in origine serviva ad altro
uso; fu riutilizzata sul recto quale
supporto del mosaico denso di significati
simbolici (*Incarnazione del Cristo;
Redenzione*), con destinazione
funeraria.

208

La sezione epigrafica e araldica

La raccolta epigrafica di San Martino, insieme con gli stemmi e le sculture, faceva parte della prima delle sei sezioni del museo, inaugurato il 23 settembre 1900.

Fin dal 1862 il Municipio di Napoli aveva avviato nel centro storico di Napoli una sistematica campagna di asportazione di rilievi, stemmi ed iscrizioni che, sradicati dal luogo di origine, divennero le uniche testimonianze di ambienti urbani stravolti o di monumenti demoliti. Fu così del tutto cancellato un esteso e stratificato tessuto storico di rilevante interesse, in nome di presunti rinnovamenti della città. Nei depositi del Museo Nazionale fu raccolto questo materiale, che dal 1878 Demetrio Salazar richiese per San Martino, in linea con il progetto di Giuseppe Fiorelli di farne il museo delle memorie della città. La raccolta, che comprende epigrafi dal medioevo al XIX secolo, fu catalogata nel 1898 da Lorenzo Salazar, che ne pubblicò una parte sulla rivista «Napoli Nobilissima» (1898-1901).

Le iscrizioni, un tempo collocate in spazi pubblici, agli angoli di strade o infisse sulle facciate di monumenti, con prevalente funzione civile, partecipano tutte come carte d'archivio alla ricostruzione di vicende legate alla storia della nostra città.

A testimonianza di trasformazioni urbane ricordiamo le due epigrafi del 1607 e del 1614, relative alla demolizione di due edifici sacri, la chiesa di San Giorgio "ad foro veteri" e la cappella dei Santi Cosma e Damiano, per realizzare il largo dinanzi alla chiesa dei Girolamini: come pure l'epigrafe, datata 1733, per l'apertura delle rampe del Salvatore tra il Gesù Vecchio e Sant'Aniello dei Grassi. Numerose le lapidi legate a molteplici aspetti della vita civile napoletana, tra le quali l'elegante marmo datato 1616 che attesta l'anno di fondazione del Conservatorio dell'Arte della Lana, che aveva sede al vico Miraballo, compreso nelle demolizioni del Risanamento. Un altro gruppo, proveniente dai più significativi monumenti della città, ha consentito di ricostruire le vicende architettoniche, come le iscrizioni già sulle porte della città, tra cui notevole è quella dall'antica porta Medina, realizzata nel 1640 su disegno di Cosimo Fanzago e demolita nel 1873, da cui provengono anche i grandi stemmi vicereali e reale esposti nel "Salone delle Carrozze".

Bibliografia essenziale

210

1776-1779
B. Tromby, *Storia critico-cronologica diplomatica del Patriarca S. Brunone e del suo ordine cartusiano*, Napoli 1776-1779, 10 voll.

1854
R. Tufari, *La Certosa di San Martino in Napoli. Descrizione storica ed artistica*, Napoli 1854.

1875
F. Imparato, *Il Museo di San Martino descritto da Francesco Imparato*, Napoli 1875.

1876
A. Migliozzi, *Nuova guida generale del Museo Nazionale di Napoli... corredata da un'appendice riguardante Pompei e la Certosa di San Martino*, Napoli 1876, pp. 431-455.

1901
V. Spinazzola, *Il Museo Nazionale di San Martino negli anni dal 1898 al 1901. Relazione a S.E. il Ministro della Pubblica Istruzione*, Napoli /Portici 1901.

1902
V. Spinazzola, *La Certosa di San Martino*, in «Napoli Nobilissima», 11, 1902, pp. 97-103, 116-121, 133-139, 161-170.

1910
A. Filangieri Di Candida, *La collezione Cammarano acquistata dal Museo di San Martino*, in «L'Arte» 13, 1910, p. 70.
M. Morelli, *L'arte moderna nel Museo Nazionale di San Martino in Napoli (La Galleria Rotondo)*, Napoli 1910.
M. Morelli, *I marmi figurati del Museo di San Martino in Napoli*, Napoli 1910.
V. Spinazzola, *Guide du Musée et de la Chartreuse de San Martino*, Torino 1910.

1939
R. Pane, *Architettura dell'età barocca in Napoli*, Napoli 1939, *passim*.

1945
B. Molajoli, *La Certosa di San Martino in Napoli. Guida breve illustrata*, Napoli 1945.

1948
B. Molajoli, *Musei ed opere d'arte attraverso la guerra*, Napoli 1948, pp. 81-101.

1953
R. Causa, *Rassegna mensile dei disegni delle raccolte del Museo di San Martino*, [Napoli] 1953.

1955
R. Causa, *Rassegna periodica delle collezioni di stampe e disegni del Museo di San Martino. Acquerelli di Giacinto Gigante*, Napoli 1955.
[G. Doria], *Le sale Marcello Orilia*, Napoli 1955.

1964
G. Doria, *Il Museo e la Certosa di San Martino. Arte Storia Poesia*, Cava dei Tirreni 1964.
Museo di San Martino. Mostra di oggetti d'arte e di documenti storici scelti dalle raccolte dei depositi, catalogo a cura di M. Causa Picone e A.M. Bonucci, Napoli 1964.

1965
M. Causa Picone, *La Certosa di San Martino*, in «Tesori d'arte cristiana», 5, 1965.

1966
M. Causa Picone, *Presepi a San Martino*, Napoli 1966.

1967
M. Causa Picone, *Vetri a San Martino*, Napoli 1967.

M.A. De Cunzo, *I documenti sull'opera di Cosimo Fanzago nella Certosa di San Martino*, in «Napoli Nobilissima», 6, 1967, pp. 98-107.

1969
G. Cantone, *La facciata della chiesa di San Martino e la controversia tra Cosimo Fanzago e i certosini*, in «Napoli Nobilissima», 8, 1969, pp. 165-175, 227-235.
A. Venditti, *La Certosa di San Martino*, in *Storia di Napoli*, vol. 3, Napoli 1969, pp. 786-790.

1972
R. Causa, *La pittura del Seicento a Napoli dal naturalismo al barocco*, in *Storia di Napoli*, vol. 5, Napoli 1972, pp. 915-994 (*passim*).

1973
R. Causa, *L'arte nella Certosa di San Martino a Napoli*, Cava dei Tirreni 1973.

1975
Soprintendenza alle Gallerie della Campania. Acquisizioni 1960-1975, introduzione di R. Causa, Napoli 1975, *passim*.

1980
T. Fittipaldi, *Scultura napoletana del Settecento*, Napoli 1980

1981
A. Ruccello, *I Pupi nel Museo di San Martino*, in «Campania Stagioni», 1981, 3.

1983
T. Fittipaldi, *Serigrafie, ricami, collages, a Napoli dal secolo XVII al secolo XIX (nelle collezioni del Museo Nazionale di San Martino)*, in «Arte cristiana», N.S., 71, 1983, 699, pp. 327-362.

G. Cautela/ I. Maietta, *Epigrafi e città.*
Iscrizioni medioevali e moderne nel
Museo di San Martino in Napoli,
Napoli 1983.

1984
G. Cantone, *Napoli barocca e Cosimo*
Fanzago, 1984.
F. Capobianco/ K. Fiorentino/R.
Pastorelli, *La Certosa di San Martino.*
Il Seicento, Napoli 1984.
Civiltà del Seicento a Napoli, catalogo
della mostra, Napoli 1984, *passim.*
T. Fittipaldi, *Il 'Quarto del Priore' e le*
sezioni storico-artistiche nella Certosa
di San Martino di Napoli, in
«Arte cristiana», N.S., 72, 1984, 704,
pp. 267-335.

1985
M.I. Catalano, *Scultori toscani a*
Napoli alla fine del Cinquecento.
Considerazioni e problemi, in «Storia
dell'Arte», 54, 1985, pp. 123-132.

1986
L. Arbace/F. Capobianco/R. Pastorelli, *Il*
Quarto del Priore, Napoli 1986.

T. Fittipaldi, *Bernardo Tanucci:*
appunti per una raccolta iconografica,
in *Bernardo Tanucci statista letterato*
giurista. Atti del Convegno
internazionale di studi per il secondo
centenario 1783-1983, a cura di R.
Ajello e M. D'Addio., Napoli 1986, vol. 2,
pp. 601-707.

1988
T. Fittipaldi, *Inediti del Seicento nella*
quadreria del 'Quarto del Priore'
nella Certosa di San Martino di
Napoli, I-II, in «Arte cristiana», N.S.,
76, 1988, 728-729, pp. 347-368, 405-428.
Il Presepe napoletano nel Museo di
San Martino, catalogo a cura di T.
Fittipaldi, Napoli 1988.

1989
Napoli e la Repubblica del '99.
Immagini della Rivoluzione, catalogo
della mostra, Napoli 1989.

1990
T. Fittipaldi, *Il presepe Cuciniello,*
Napoli 1990.

1991
L. Martorelli, *Cenni sulle collezioni*
dell'Ottocento al Museo di San Martino,
in *L'Ottocento negato. Dipinti e sculture*
delle raccolte napoletane di Capodimonte,
San Martino e dell'Accademia di Belle
Arti, catalogo della mostra, Napoli 1991,
pp. 13-20.

1992
D. Del Pesco, *Alla ricerca di Giovanni*
Antonio Dosio: gli anni napoletani
(1590-1610), in «Bollettino d'Arte del
Ministero per i beni culturali e
ambientali», VI, 77, 1992, 71, pp. 15-66.
T. Fittipaldi, *Museo di San Martino.*
Ceramiche. Napoli, Castelli, altre
fabbriche, Napoli 1992.
Jusepe de Ribera. 1591-1652,
catalogo della mostra, Napoli 1992,
passim.

1993
N. Spinosa/D.M. Pagano, *I Profeti di*
Ribera a San Martino, Napoli 1993.

La Certosa e il Museo

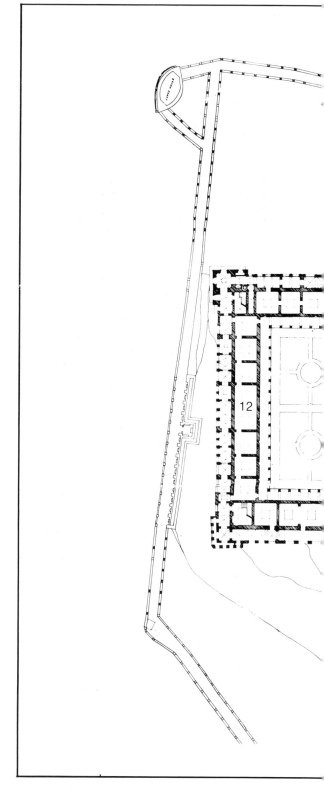

1. Chiesa monumentale con
   ambienti attigui
2. Chiostro dei Procuratori
3. Spezieria
4. Sezione navale
5. Sala delle carrozze
6. Sezione Orilia
7. Refettorio
8. Chiostrino del Refettorio
9. Chiostro grande
10. "Quarto del Priore"
11. Sezione presepiale
12. Sezione delle arti medievali
    e moderne
13. Sezione teatrale
14. Sezione dell'"Ottocento
    napoletano"
15. Chiesa delle Donne
16. Piccolo giardino pensile del
    "Quarto del Priore"
17. Grande giardino pensile del
    "Quarto del Priore"

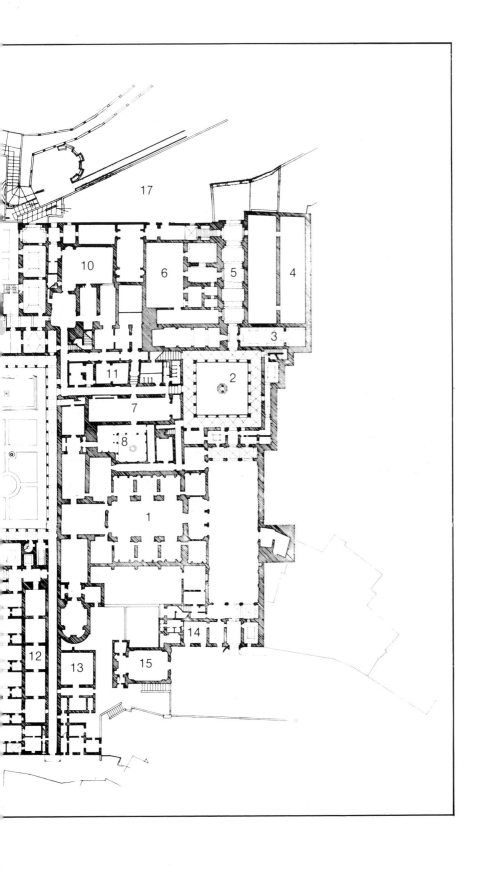